綠藻與鹹蛋

林◆海◆音◆作◆品◆集

綠藻與鹹蛋

文／林海音

遊目族

目錄

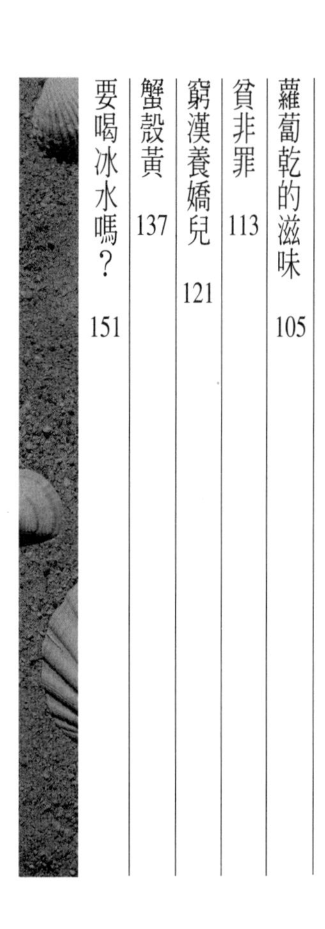

〈總序〉

超越悲歡的童年

齊邦媛

在新的千年開始時，遊目族文化事業公司出版《林海音作品集》是一件極有魄力且影響深遠的文壇盛事。新版聚攏了已開始散失的作品，給它們注入新生命，使新世代的讀者可以看到上一代的文采風貌，也給已逝的世紀保住了珍貴的文獻。林海音的身世背景、生長過程和豐盛的文學生涯見證了二十世紀台灣的省籍融合和文學胸襟的開拓。她個人在大陸的生長經驗和對台灣本土作家的發掘與鼓勵，對台灣文壇有極大貢獻，也具有難於超越的代表性。

海音在三十七年由北平回到光復後的台灣。當那艘船駛入青山環繞的基隆港時，她的心中必有一種強烈的感動，因爲她回到父母生長的故鄉來了。她在《綠藻與鹹蛋》小說集的序裡說：「幾乎是從上了岸起，我就先找報紙雜誌看，先弄個破書桌開始寫作。」在這個書桌上開始了一個文人最豐富的一生。她不僅寫下了多篇必能傳世的小說和散文；也曾成功地主編聯合報副刊十年，提升了文藝副刊的水準與地位；更進而自己創辦純文學出版社，發掘、鼓勵了無數的青年作家。

林海音作品中所呈現的是一個安定的、正常的、政治不掛帥的社會心態。她的小說集《城南舊事》、《燭芯》和《婚姻的故事》中，多篇是追憶她童年居住北平城南的景色和人物。其中如〈惠安館〉和〈驢打滾兒〉等篇，雖是透過童稚的眼睛看大人的世界，卻更啓人深思。由於孩子不詮釋、不評判，故事中的人物能以自然、眞實的面貌出現，扮演他們自己喜怒哀樂的一生。〈金鯉魚的百襉裙〉和〈燭〉進一層探討女子在不合理的婚姻中抑鬱終生的悲劇。她的長篇小說《曉雲》寫的是台灣的一個自主自立的現代女子，「暗中摸索」人生與愛情。作者常用近似意識流的自敘法和象徵性手法，故事的發展和她內心的困惑有平衡的交代。文字風格的超逸，給全書抒情詩的情調。曉雲的處境引起的同情反而多於道德的評判了。

在《城南舊事》裡，〈惠安館〉、〈我們看海去〉、〈蘭姨娘〉和〈驢打滾兒〉四篇都可以單獨存在，它們都自有完整的世界。但是加上了前面兩篇和後面兩篇，全書應作一本長篇小說看。作者自己在〈冬陽．童年．駱駝隊〉一文中即說：「收集在這裡的幾篇故事，是有連貫性的。」讀完全書後，我們看出不僅全書故事有連貫性，時間、空間、人物的造型、敘述的風格全都有連貫性。

貫穿全書的中心人物是英子。時間是民國十二年開始。英子由一個七歲的小女孩長大到十三歲。書中故事的發展循著英子的觀點轉變。故事雖是全書骨骼，她的觀察卻給它血肉。英子原是個懵懂好奇的旁觀者，觀看著成人世界的悲歡離合，直到爸爸病故，她的童年隨之結束，她的旁觀者身分也至此結束，在十三歲的年紀「開始負起了不是小孩子該負的責任」。人生的段落切割得如此倉卒，更襯托出無憂無慮的童年歡樂的短暫可貴。但是童年是不易寫的主題。由於兒童對人生認識有限，童年的回憶容易陷入情感豐富而內容貧乏的困境。林海音能夠成功地寫下她的童年且使之永恆，是由於她選材和敘述有極高的契合。

偌大的北平城，跨越了極深廣的時空的古城，在一個孩子的印象裡卻只展示了它親切的一角——城南的一些街巷，不是舊日京華的遺跡，卻是生生不息的現實生活，活得熱熱鬧鬧的。英子的家已經有了四個妹妹和兩個弟弟，胡同口還有「惠安館」中的瘋姑娘和苦命的妞兒。她們傳奇性的結局是故事，但是卻不是陰黯的故事。作者將英子眼中的城南風光均勻地穿插在敘述之間，給全書一種詩意。讀後的整體印象中，好似那座城和那個時代扮演著比人物更重的角色。不是冷峻的歷史角色，而是一種親切的、包容的角色。《城南舊事》若脫離了這樣的時空觀念，就無法留下永恆的價值了。讀者第一遍也許只看故事，再回頭看看，會發現字裡行間另有繫人心處。林海音的文筆最擅寫動作和聲音，而她又從不濫用渲染，不多用長句，淡淡幾筆，情景立現。因此看似簡單的回憶，卻能深深地感動人。有了這樣的核心，這些童年的舊事可以移植到其他非特定的時空裡去，成為許多人共同的回憶。

《城南》一書中人物除了英子的雙親之外，與她童年歡樂的記憶有最密切關聯的要算宋媽了。在各篇中宋媽可說是無處不在，無疑地也是讀者印象中最難忘的人物。這位命運悽苦的卑微人物，在英子的回憶中自有她的智慧和尊嚴。作者在講別人的故事時常會插上一段描寫宋媽的文字。這些片段連綴起來合成一幅鮮明的畫像——不僅是宋媽的畫像，也可說是那個時代北方鄉村婦女的典型了。她被生活所迫，來到英子家中幫傭，但是主僕關係之外漸漸發展出一種朋友的關係。她不僅直接分享這家人的喜怒哀樂、生老病死，也常常是英子的人生課程的啓蒙師。她淳樸簡單的智慧時時是童騃的英子與現實世界的一座穩妥可靠的橋。

林海音在台灣開始寫作的年代（民國四十年前後），西方文學批評理論還沒有影響中國作家。至少像結構主義等還沒有今日響亮。但是成功的作品自有它完整的結構，讓錯綜複雜的人際關係各就其位，整體綜合再顯現出全篇的主題。〈驢打滾兒〉就是個很好的例子。在表面上它幾乎沒有緊湊的情節。但是在這個九歲的女孩——英子眼中看到的小世界後面卻是一個悲慘的大世界。從頭到尾作者不曾逾越這個孩子有限的觀察。她的天地幾乎是局限在五十年前北平城裡的一個四合院裡，院子裡住著的是她和樂滋飽的一家人。家就該是這個樣子，她弟弟的奶媽——宋媽是個會講鄉村故事、會納布鞋底子、會抱著她妹妹唱兒歌：「雞蛋雞蛋殼殼兒，裡頭坐個哥哥兒……」的人，與她們生活息息相關。英子看不到，也想像不到宋媽夫離子散的家庭，更不用提人生更多悲悽割捨了。她只知道宋媽為了「一個月四塊錢，兩副銀首飾，四季衣裳，一床新鋪蓋」到她家幫傭，一做四年。宋媽和她那「黃板兒牙」的丈夫那時大約都不到三十歲，卻給人一種蒼老的感覺。每次這個男人牽著驢來的時候，故事的發展就升高一層。這匹愚鈍固執的牲口成了貫穿全局的象徵。四年前宋媽剛來時，這頭驢首次出現，然後每年來兩次，都被拴在院子裡，「滿地打滾兒，爸爸種的花草，又要被蹧踐了。」

驢子每次的出現不僅是作情節的聯繫，也襯托乃至增強了人物的造型。宋媽的丈夫又來的時候，終於說出了家中真相——宋媽日夜掛念的兒子小拴子早已在河裡淹死了。那個出生連名字都沒有的「丫頭」，在抱離母懷當天，還沒出城門就送給了不相識的人！當宋媽悲泣時，這頭驢子在吃乾草，「鼻子一抽一抽的，大黃牙齒露著。怪不得，奶媽的丈夫像誰來看，原來是牠！宋媽為什麼嫁給黃板兒牙，這蠢驢！」很明顯的，在小孩的眼中，驢與宋媽的丈夫的形象已經合而為一。這個典型的「沒有出息」的失敗者與他的驢是分不開的。他每次來都趕著驢穿過幾十里的黃土地，藍布的半截褂子上蒙了一層黃土。這黃土是北方乾旱的原野上長年吹著的風沙，是大自然的勝利的見證，也是質樸愚騃的農民終歲勞苦奔波於生計的場所。

如果不穿透作者故意佈下的童稚的迷茫，〈驢打滾兒〉似乎有些詩意的情調。這篇城南舊事和許多童年美好的回憶一樣，已在遙隔的時空裡濾掉了許多愁苦，只剩下笑淚難分的懷念。只是宋媽和與她命運相同的女子不允許我們忽視現實。不僅那黃板兒牙的男人和驢子滿身塵沙，作爲故事題目〈驢打滾兒〉的小點心也是帶著卑微但卻親切色彩的鄉下食物，用世代相傳的土法蒸的黃褐色的小圓餅，在綠豆粉裡滾一滾，也就是塵土色了。宋媽把英子帶出她舒適的小院子去找尋丫頭子。在古城塵土覆蓋的街巷中走著，吃幾個這種塵土色的驢打滾兒小餅，繼續穿街走巷找尋那個沒名沒姓的骨肉。這一場無望的掙扎，注定了要失敗的。尋覓無望之後，英子的小世界有了顯著的變化：宋媽不再講小拴子放牛的故事了，兒歌也不唱了。以前她把思子之情灌注在納得厚厚的鞋底上，好似祝禱兒子能穩穩地站在無母的歲月裡等她回去團聚。如今「她總是把手上的銀鐲子轉來轉去的呆看著，沒有一句話。」

故事的結束可以說是傳統式的，宋媽終於跟她的丈夫回鄉去了。她希望再生孩子。小拴子和「丫頭」也許是命中與她無緣，因爲中國在世世代代的希望幻滅之後，不得不將生死聚散歸爲緣分。如同英子的母親說的，「是兒不死，是財不散。」宋媽對命運最大的挑戰大概是再生些兒子吧？她騎驢上路的時候，「驢脖子上套了一串小鈴鐺，在雪後新清的空氣裡，響得眞好聽。」這是第一次有歡愉的事與這頭驢有關聯。也許小女孩只在想宋媽不久即將再生可愛的小孩，所以鈴鐺響得好聽。實際上，宋媽的困境並未結束。但是人活著總得有份希望，即使是那頭驢灰撲撲的脖子也掛了一串鈴鐺。在生活的實際奮鬥中，絕望也不是件容易的事。

林海音在後記中說：「每一段故事的結尾，裡面的主角都是離我而去，一直到最後的一篇〈爸爸的花兒落了〉，親愛的爸爸也去了。」宋媽這樣地離去，是悲是喜，似非英子所能理解，但是書中因爲有了宋媽和她的故事，而加添了多層的深度。《城南舊事》在英子的歡樂童年和宋媽的悲苦之間達到了一種平衡。掩卷之際，讀者會想，「看哪，這就是人生的最簡樸的寫實，它在暴行、罪惡和污穢佔滿文學篇幅之前，搶救了許多我們必須保存的東西。」

這一篇我爲《城南舊事》寫的序文原是我在七十一年在美國加州大學講授台灣文學的一篇講稿，七十二年「純文學出版社」重排此書時林海音要我把這份分析與講解寫成序文。

初識海音是在讀她的《曉雲》之後不久，對她的文采與書中濃郁的關懷之情深感佩服。六十四年我主編的《中國現代文學選集（台灣）》英文本由美國華盛頓大學出版社發行，海音的〈金鯉魚的百襉裙〉是第一篇短篇小說，讀者反應很好，記得當我們英譯送請編審委員吳奚眞教授審稿時，一向嚴肅，不苟言笑的奚眞先生竟然感動落淚，暫忘了兩種語言的差距，在〈婚姻的故事〉中，作者以敏銳纖細的人生觀察寫出了二十世紀初葉，中國社會所允許，乃至鼓勵的種種性別不公平現象，其中〈燭〉尤其令人難忘，那個必須隱忍的「賢德」女子竟逃避到一燭光照的蚊帳之內，自囚終生！平日爽朗談笑，豁達舒展的海音，卻在寫小說時以無比的慧心將她的觀點濃聚在一條裙子、一支燭光中，令讀者在引伸思考之後感動難忘，和宋媽乘坐那匹驢子的鈴聲一樣，在雪後的清晨，響著無數可能的未來。

自一九七〇年代，殷張蘭熙將海音的小說英譯集成《綠藻與鹹蛋》等書，她也已將《城南舊事》前三篇譯成英文。我七十四年遭到車禍坐在輪椅上，將後兩篇譯出，寫了序，八十一年由香港中文大學出版社出版。在那本淡雅美麗的封面上有冬陽，有駱駝，書名 Memories of Peking- South Side Stories 。下面是作者林海音，英譯者殷張蘭熙和我的名字。念塵世生命之脆弱短暫，更感文學生命之久長。這一本書竟成了我們數十年談文論藝最美好的見證了。

〈序〉作家‧主編‧出版人

鄭清文

三島由紀夫（一九二五—七〇）是多種身分的日本著名文學家。不過，開高健（一九三〇—八九）說他「一是評論家，二是劇作家，三是小說家。」三島如果聽到這些話，或許會感到一點悲涼吧。

林海音先生（我們都這樣稱呼她），也是一位身兼數職的文學家。她是主編、作家，也是出版人。從作品而言，她寫小說，也寫散文。

聽說她做《聯副》的主編時，因爲登了一首小詩，犯了禁忌，引咎下台。後來，她創辦了《純文學》雜誌，自任編務。不管是《聯副》或《純文學》雜誌，做爲一位主編，她具有獨特的眼光和作爲。當時戰鬥文學昌盛，她卻能把目光轉向純文學，刊用不少被其他報章雜誌所摒棄的優良作品，可說膽識過人。

林海音曾經告訴我，黃春明有兩篇文章，寫得很好，卻不敢用。這是時代的無奈。後來，她還是冒險用了。這是她喜愛好作品，敬重好文學的天性。她還告訴我，她退了一位名作家的稿。我很驚訝，也很好奇，問她用什麼理由說服對方。她說，這種文章不能登，否則會損傷作者以往的盛名。這是一位好編輯的面目。

林海音創辦《純文學》雜誌，是她的夙願。這份雜誌雖然只維持了五年（一九六七—七二），卻登了不少具有代表性的作品，包括小說、詩、評論和散文。這份雜誌在文學比較貧瘠的時代，提供了一個非常重要的園地。這也是她對台灣文學的貢獻。辦雜誌，最大的困難是稿源和讀者。以林海音的眼光和待人接物的風範，稿源問題似乎較小。但是因爲她標榜純文學，爲讀者劃了一條界線，限制了雜誌的銷售量。這也是純文學雜誌的宿命。

實際上，一位優秀的編輯和一位優秀的作家有一個共同點，就是能夠賞識好的文學作品。林海音是一位主編、作家和出版人。其中，最重要的應該是做爲作家的角色。她寫小說，也寫散文。她的小說遠比散文重要。她最後的小說《孟珠的旅程》，在一九六七年出版，做爲一個小說家，她已結束。不，應該說是已完成。以後，她雖然繼續寫文章，卻以散文爲主，包括遊記。她寫小說的終結點，正是她創辦《純文學》的起點，可見她爲了這個雜誌，犧牲了小說的創作。

林海音所處的是一個特殊的時代，很多人寫大時代、大主題。她卻寫生活、寫愛情、婚姻與家庭。她寫作的重點是女人的歡喜和悲哀。她的文學能深入社會，所以更能寬闊和深厚。

她雖然寫日常生活，卻也未忘記她所處的時代。她寫二十年代的北京，三十年代的南京，以及以後的台灣。她寫時代的交替，戰爭的陰影，兩地人民的阻隔。

台灣的文壇不是緩和前進的。一下子戰鬥文學，一下子現代主義。林海音文學，便是在這些文學的大潮流中間，守著自己的分寸。有一段時期，文壇風行文字的雕鑿，林海音卻充分使用生活語言，用她那敏銳的感受和細膩的筆觸，寫下社會的生態。她是擅於寫時代的女人。

她所處的，不管是中國或台灣，都面臨一個急激的變化。這使人和人的關係更加複雜，也更加尖銳，因此也導致各形各色的悲喜劇。社會和文學都在轉變中，林海音並不扮演一個開創者，她只做一座橋。

從前，有一位文學評論者，喜歡提出一些驚人的見解。他說某個文壇新星出現了，舊的作家，像葉石濤，都已過時了，只能做墊腳石。現在，二十年過去了，葉石濤還是屹立不墜，新星也沒有變成巨星。喧嘩和平實之間，應該如何選擇，是需要一點時間的。

金字塔並不是蓋在半空中。它是用一塊一塊的大石頭，紮實的堆上去的。墊腳石，其實也就是礎石，是金字塔的一部分。台灣的文學，一直沒有建立在穩固的基礎上，是因爲大家都想做堆在金字塔尖頂上的石頭。大家不知道要有更堅實的基礎，才能堆得更高，文學是多樣的，基礎卻是一種——從生活開始，正如繪畫要從素描開始一樣。

林海音把傳統文學的紮實基礎帶到台灣來。但是，在追求飛躍的文壇，她所受到的注意，除了《城南舊事》，似乎略嫌不夠。她的文學，聲光都不大，卻已樹立了一種典範。我們從她的作品，可以看到文學的莊嚴和尊貴。她能編，也能寫。兩者都使台灣的文學更爲充實。

林海音是一位直爽、敏銳，勇於力行的文壇長輩。她廣結善緣，敬重同輩作家，也鼓勵後輩。做人、做文學，她都一貫。由於她有這種特質，她一直走著平坦的路。她自己走這一條路，也帶著別人走這一條路。這是林海音，同時也是林海音文學。

〈原序〉好的開始

這本《綠藻與鹹蛋》，是我的短篇小說集。書中所包含的十五篇小說，是從民國四十一年下半年到四十六年上半年的作品，但大部分是發表在四十五年間，算算竟占了八篇之多，這麼說來：那一年是我的短篇小說豐收季啦！

這本小說集的重排，和今年七月間我的另一本集子《冬青樹》的重排，情形差不多，《冬青樹》第一次結集出版，是在民國四十四年，這本《綠藻與鹹蛋》的第一次出版是在四十六年。這兩本書對於我個人的寫作歷程總還有點意義，所以雖在二十多年後的今天，我仍抱著敝帚自珍的心情來重排印製。

我是在民國三十七年底從我的「第二」故鄉北平返回我的「第一」故鄉台灣的。幾乎是從上了岸起，我就先找報刊雜誌看，先弄個破書桌（眞的，是我堂兄給我的）開始寫作。本來我和外子就是作年價爬書桌寫作的人嘛！開始寫的多是散文，因為自幼在北平長大，雖說回到故鄉，卻要處處從頭認識，又因為換了一種生活環境，在新鮮與好奇的心情下，隨手拈來的寫作題材，不是身邊瑣事的生活趣味，就是第一、二故鄉的風物緬懷。寫不盡的豐富的材料，使我覺得生活的充實，因為我和外子的生活，應當說是離不開寫點兒什麼，只要有得寫，心情就快活。

從民國四十四年起吧，我的筆觸就大量的轉向小說了，所以《冬青樹》中是散文、小說兼有，而《綠藻與鹹蛋》就全部是小說了，這十幾篇小說雖然是我早年的作品，但有許多篇都是我自己非常珍惜的，回憶寫作的當時，誠誠懇懇，是有感也有情。像〈兩粒芝麻〉、〈週記本〉、〈玫瑰〉、〈蘿蔔乾的滋味〉、〈貧非罪〉、〈窮漢養嬌兒〉，都是以一個小學老師做第一人稱寫的。我並非老師，而是那時我的孩子們都陸續進入小學讀書，和小學老師及小學教育多有接觸，不免在這方面多有感觸，就不由得以此來編造故事了。而且自己一向敬重我們基本教育的小學老師，總覺得小學老師對於一個小孩子的人格形成是非常重要的，那樣說起來，這些小說倒像是教育小說了！早年打算這樣一系列的要寫很多很多，《冬青樹》中有一篇〈會唱的球〉是開始，是希望有更多的「老師讀者」，但是後來寫別的，也就沒有繼續下去，這次重排，回憶起來，倒有些遺憾之感了。但作品終究是要讀者來評鑑與欣賞的，所以我把它們再度呈現在讀者的面前，雖然這時距離那時已經是四分之一世紀過去了，不知如今的讀者對它們會給以怎樣的評價。

書就這篇短文，無非向讀者報告我的寫作歷程，我標題爲〈好的開始〉，並非指「成功了一半」，而是說當年執著於寫作爲一生的工作，至今興趣不退，那麼那時候不正應該說是「好的開始」嗎？

六十九年十二月一日

綠藻與鹹蛋

曼秋給她的丈夫蕭定謨開開門，接過來他的公事皮包後，便輕輕而又很興奮的說：

「定謨，他眞的來啦！」

「誰？」

「傅家駒，我前天跟你說過的呀！」

「哦——」定謨沒再說什麼，一直往臥室裡走，曼秋小鳥依人的跟在後面進來，把公事皮包放在桌上，又對他說：

「人在客廳裡，你換了衣服馬上來吧！」

「我還要洗澡呢！」定謨低頭換拖鞋，頭也沒有抬的說。

曼秋聽丈夫說話的語氣，稍微一愣，但是因爲沒有看見他的臉，不知他眞正的表情如何，她祇當是自己敏感，便若無其事的預備回到客廳去陪客人。但是她的腳剛邁出了臥室門，聽見定謨又發話了：

「水呢？」

她不得不回轉身來。看丈夫全身光著，祇穿了一件內褲，拿著一條洗澡毛巾，直站在臥室的中央，像個任性的孩子。她覺得好笑，也有點生氣，不禁皺起了眉頭：「咦！叫阿蘭給你倒嘛！」關於洗澡水的事情，本來用不著曼秋親自動手的，每次祇要喊一聲「洗澡」，阿蘭就會全預備好。今天怎麼啦！是嫌早晨的荷包蛋煎老了？還是因爲看她的老同學來了故意的？處處犯彆扭勁兒！曼秋想著，不由得綳緊了臉往客廳裡走，可是一進客廳門，她立刻把臉鬆下來，笑臉迎著客人說：

「他洗個澡就來。」

「好的好的，不忙！」傅家駒雖然嘴裡這麼說，眼睛卻又看了看腕上的錶。

這時忽然一聲粗暴的聲音喊阿蘭，等一下，阿蘭咚咚的跑到客廳來：

「太太，先生叫你去一下。」

曼秋不得不又向老同學告罪一下。到了洗澡間，定謨祇很簡單的說了兩個字：

「衣服！」曼秋到臥室的壁櫥找衣服時，不知怎麼忽然想起了弟弟的幼年，他是一個很能折磨人而又被寵慣了的孩子，他能把母親折磨得掉下眼淚來，可是也捨不得打罵他一下。她記得有一次弟弟洗完澡還坐在木盆裡不肯起來，他要母親拿衣服，這一件不對，那一件不對，直到母親含淚把五斗櫃的一大抽屜衣服整個端到弟弟的面前。……曼秋拿好衣服又去洗澡間，一進門，看見熱氣騰騰的朦朧中，丈夫光著身子坐在小竹凳上，在那裡倔強的等著衣服，曼秋又想到了弟弟，不覺噗哧笑了出來。

「笑什麼？」定謨很不高興，從平板的面部表情可以看出來。

「背後還有肥皂沫呢！」其實並沒有這麼一回事，她祇是藉此掩飾罷了。她拿起毛巾在他光滑的背上故意的擦了兩下，又低聲說：「快點來吧，客人剛才就要走了，他六點還有人請吃飯呢！」

洗澡間的熱氣把曼秋的臉薰得通紅，鼻尖還冒著汗珠，兩手也是濕漉漉的。一走進客廳就做著無可奈何的神氣，挑起眉尖微笑著說：「男人總是這麼麻煩，是不是？」

傅家駒沒有說什麼，卻微笑著對她注視，其實他是在欣賞一個女性的變化；她原是大學裡的一個活潑的女郎，嫁後光陰卻使她變得如此依順她的丈夫。他也許還有一些別的感觸，但是他的注視卻使她更難爲情了，她深怕這位洞察人生的作家會看透她自從丈夫進門後的這一段心情。

這時定謨進來了，曼秋爲他們介紹，定謨眞不夠大方，雖然和傅家駒作禮貌上的握手，但是並不熱烈，也捨不得說一些敬仰的話，像什麼「久仰大名」呀！「大作時常拜讀」呀！他雖然對文學是門外漢，但是她曾跟他提過的，說她的老同學傅家駒現在以筆名「羅嘉」而享名文壇了，他難道忘了嗎？他冷淡的態度，好像在接見一個不相干的人，而且也不關心對方是幹什麼的那種樣子，他衹對客人伸手做讓坐的姿勢說：「請坐請坐！」客人還在謙讓呢，他自己倒先不客氣的坐下了，那神氣就像告訴人「這是我的家，我的太太。」

兩個男人之間似乎找不出什麼話題來開始交談，做爲丈夫的這個，隨手舉起了晚報。曼秋心想，紙幕一隔，這屋子空氣將更趨冷酷，於是她在丈夫的眼睛還沒接觸到鉛印字時趕緊說：

「定謨，我請家駒明天晚上來家吃便飯。」

「哦？好極了！」這話是衝誰說呢？他不像是主人，倒像是個旁觀贊助者。

家駒這時也起身告辭了，定謨立刻站起來：「不坐坐了麼？」

送走了客人，回到屋裡來，阿蘭已把晚飯擺上了桌。兩個人吃著飯，衹聽見湯匙碰著湯碗，銀筷子輕點著飯碗，是銀器打著磁器的聲音，卻聽不見人的說話聲，這實在打破以往的慣例，平常飯桌是他們夫婦倆交換情報的地方，各人一天的新聞所見，都是在飯桌上報告給對方的。就像傅家駒要來的這回事，不也是前天在飯桌上提到的嗎？據曼秋說，原來小說家羅嘉就是她的大學同學傅家駒，他的長篇小說《花環之愛》已經出到第四版，並且得了一筆文藝獎金。他最近才知道曼秋也在台灣，便寄了一本短篇小說集來，並且說他不久要來台北，會來拜訪她。這些話定謨聽了並不在意，曼秋是喜愛文學的，雖然她在大學讀的是教育。他對文學這一門卻可以說是一竅不通，他裝的是一腦子化學公式，而且他最近更對綠藻的研究發生興趣，他雖然和朋友合資開了一家香皀公司，但是他的本旨還是在微生物化學上。

他們的家庭生活非常融洽，世俗所稱「模範夫婦」、「夫唱婦隨」，他們都夠資格。他並不需要太太懂得化學什麼的，但他做出來的香皀、香水、香粉，太太都是第一個品定和捧場者；他不懂文學也無大礙，著名的小說一出籠，他總是先買回來給太太，雖然他自己並不要看。

也許事情就糟在女人的沈不住氣，而前天的飯桌上，他們談到傅家駒是作家是老同學的話，誰知曼秋最後又忍不住多說出一個名堂來：「眞可笑！傅家駒還追求過我呢！那時給我寫了許多詩。」

「哦？怎麼沒聽你提起過？」定謨不由得問。曼秋是個漂亮的女孩子，追求的人當然很多，當年追求的都是些什麼人，曼秋差不多都向定謨提過，可是怎麼就沒聽說過這位大作家呢？

其實曼秋並不是故意隱瞞的，實在是對於當年傅家駒的追求並沒有放在心裡，所以連提都忘記提了，她幾乎忘得乾乾淨淨了。可是現在傅家駒成名了；那追求的回憶，便彷彿對她有些說不出的意義，或者可以說是女性的一點虛榮心在作祟吧，她竟無意中把這段過去又翻出來向丈夫——可以說是炫耀了一下就是啦！

如果不是曼秋的自白，也倒沒什麼，就是壞在這麼一說，當天晚上，定謨竟好奇的拿起《羅嘉短篇小說集》來，這在他確不是一件尋常的事。他隨便翻開了一篇題名〈孤獨者〉的看看。這篇小說是說一個孤獨的詩人隱居在觀音山下，有一天一位女遊客受傷昏倒了，村人把她送到離出事地點最近的詩人的小屋裡休息。詩人正採菊東籬下，當時沒在家，等他回來時見床上躺著一個昏睡的女人，桌上壓著一張紙條，是女客的同遊伴侶們所寫的，是說請主人原諒冒昧，並請招呼這位女客，她吃過藥睡一會兒就會好，醒來可以告訴她：她的遊伴們在距此南去約十分鐘路程的大樹下野餐。詩人看看床上的睡美人，竟發現正是他多年夢寐追尋的愛人，他把野菊插在瓶裡，供在床前小桌上，又從箱底取出當年的詩稿來，然後他靜坐著，讀著舊詩稿，回憶著當年寫詩的經過……雖是一篇傳奇性的故事，但是筆觸之美，可也捉住了這位化學家，他一口氣看完，闔上了書在想，他不得不承認這是一篇傑作，好在哪裡？就是曼秋常說的——「氣氛」太好了！可是，如果那孤獨的詩人是作者的化身的話，那多年不見的女遊客又是誰？定謨的心也起了一種說不出的「氣氛」，那股「氣氛」從鼻孔直冒出來，是 Acid，酸性的！

他看後不聲不響的把書放回原處——曼秋的枕頭底下，祇當他自己沒看見，實在他也眞後悔他曾看見。

曼秋洗完澡回到床上來睡時，高興的哼著歌，他聽出那是她讀的大學的校歌調子，他下意識的覺得她是在回憶學校生活，和那個同校的詩人的生活！

這是前天的事了，而就在今天，這位觀音山下的孤獨者終於追尋到他多年不見的人兒了。這時在祇聽見磁碰磁的飯桌上，終於定謨先忍不住了：

「你這位同學是幹什麼的？」他明明知道，可是故意這麼問，當做是一個來歷不明的客人。

「咦！我不是跟你說過，他就是當代名作家羅嘉嗎？他那本《花環之愛》，還是你給我買回來的哪！」

「哦！我倒忘了！敢情是個要筆桿兒的！」他不屑的說，然後又想起來加一句：「你說他住在哪兒？」他問這話是無意中的有意。

「成子寮。」

「觀音山的那個成子寮？」

「不錯。」

那就眞的「不錯」了——他考證那篇孤獨者的眞實性，結果證實了。那篇小說雖然是假的，但作者的心情卻是眞的，這孤獨者，他一直在追尋他的舊夢，這下子可眞叫他追到了，沒在觀音山下的小木屋裡，卻在鴻昌香皂公司經理的公館裡！

他本來買了兩張電影票，預備今天飯後請太太看《野宴》去，但是「孤獨者」的來臨，把他們的局給攪了，兩張電影票乖乖的貼在定謨的上衣口袋裡，他摸也沒摸一下。

「關於他的生活，這本短篇小說集裡，有幾篇很有趣的描寫，你可以看看。」晚上臨睡前，曼秋從枕頭底下把《羅嘉短篇小說集》抽出來，扔給定謨，但是定謨假裝睏得要死，努力的打著呵欠，看也不看一眼就把書放回小桌上的檯燈旁。

一個人無論到了多麼大的年紀，祇要和老同學在一起，立刻不受年齡的限制；不管已經離開學校多麼久，嚴肅的教授也會淘氣，五個孩子的胖太太也成了小姑娘，開百貨公司的大腹賈也恢復「乾猴」的外號。在曼秋所安排下的歡迎傅家駒的宴會，簡直可以說是同學會，全部是曼秋的同學，定謨例外。

他們在飯桌上毫無顧忌的互相開玩笑，揭瘡疤，一派天眞，把當年認爲不可道破的事情，全部公開出來，就連曼秋如何偷偷的每星期到上海去和定謨會面的事，也揭發出來了。曼秋看來很開心，眼溜著定謨害羞的笑。定謨這時也以優勝者的姿態被人灌下了三杯酒。

這時不知什麼人想起了一件陳年老事：

「小傅，你還寫詩不？」

這話剛一說出口，惹起了哄堂大笑，傅家駒也多喝了兩杯酒，兩頰緋紅，很難爲情的限止說：「今天不許說這個！」

這裡面似乎有一段在座人都曉得的「盡在不言中」的故事，祇有定謨莫名其妙，但他也可以猜得出那故事的意義，他不由得側頭向曼秋溜了一眼，曼秋這時正擺弄剛端上桌的一盤菜，她企圖用活潑的尖嗓門轉移談話的目標，所以不斷的喊著：

「吃菜吃菜，大家嘗嘗我自己醃的鹹蛋！」

大家吃著蛋，交口讚譽，曼秋卻自謙不善烹術，醃出來的蛋從來沒有膏油。這時大家的談話興趣轉移到烹飪術上，女客們的話也多了。

「也許有一天太太們不再爲烹飪術所苦。」是定謨開口了，曼秋知道定謨預備說什麼，她搶嘴先作一番介紹：

「別以爲定謨就祇會做肥皂，我們的微生物化學家現在潛心研究的，實在是綠藻。」

「綠藻？」人們想不到綠藻和化學的關係。

「隔行如隔山，定謨，把關於綠藻的起碼常識講給他們聽聽！」不用說，曼秋是有意捧丈夫的場，她實在也一直敬他愛他，否則當年也不會老遠的一星期跑一趟上海，去找那個埋頭在化學實驗室裡的男人了。在這個丈夫陷於「孤獨者」的場合裡，要把丈夫不同凡響的地方，高高的舉出來，太太的用心良苦可以想見。

提起綠藻，那比鴻昌香皀公司的年紅更能使定謨來得興味濃，他說：

「我的太太嫌她醃的蛋膏油不夠，這使我想起有一天我們人類的飲食將以綠藻代替，太太們就可以不必再爲醃蛋傷腦筋了。因爲綠藻這東西，現在科學家已經分析出：除內含百分之五十的蛋白質外，還有脂肪及維他命等，如果經過特殊的培養，脂肪的含量可以達到百分之八十五。它除了可以吃以外，還可以做燃料，代替人類不久的將來即將用光的石油和煤炭。還可以製藥，製染料、肥料等等。」

聽的人果然嘖嘖稱奇，聽得津津有味，忘記吃鹹蛋了。定謨並強調說：「研究綠藻比研究氫彈對人類更有價値和意義。」

「爲什麼？」有人急著問。

「有了綠藻，戰爭將無從發生，因爲人人都有飯吃了，戰爭還有何意義？所以——綠藻是戰爭的敵人。」

「了不起！可是我們上哪兒找這許多綠藻吃呀？」

「綠藻的繁殖很快，一天可以分裂兩次半，它祇需日光、空氣、水和少量廉價的藥品。拿一英畝的地盤來說吧，普通農作物平均生產不過兩噸左右，但是綠藻卻可以得到二百噸！將來有一天，每家的屋頂開闢一塊可以曬到太陽的綠藻培養池，這一家人就可以取之不盡，食之不竭了。我們將和綠藻共同生存，繁殖在這世界上，一代代的下去。……」

「我們將像養在玻璃缸裡的金魚和綠藻一樣，共存共榮！」有人插嘴，引得滿屋笑聲。這時五個孩子的胖太太更開心，她說：

「對！我最贊成。別看我是學家政的，我家先生總嫌我菜燒不好，有時我眞賭氣想炒一盤石頭子兒給他嘗嘗！好了，現在可好了，我們大家都要吃綠藻了。但是，蕭先生，在我們人類的飯桌上，幾時才可以看見成盤的紅燒綠藻端上來呢？」

「那祇是時間的問題，我想起碼在我們子孫的飯桌上，總有一天會實現的。」定謨幽默的回答。

「唉！」胖太太搖搖頭，她嫌太晚，很失望。

晚宴就在這樣快樂的談笑中結束了。可是定謨並不完全輕鬆，當他回到臥室就寢時，又看見床前小檯燈旁的那本短篇小說集了，他想起了飯桌上客人開那位詩人的玩笑，那玩笑對於他和曼秋不是完全不相干的，他知道。他把書的封面翻轉來扣在桌面。他不要看。

宴會的第二天下午，定謨下班回來，卻不見曼秋，他問阿蘭：「太太呢？」

「太太和那位傅先生出去了。」

「哦——」定謨的那種氣氛又來了，他坐在客廳裡吸菸，悶聲不響，阿蘭把洗澡水早就預備好了，也任它涼去。

他們此刻在哪兒？幽暗的咖啡室角落裡？黑暗的電影院裡？他覺得他的想法未免太糟了，可是又禁不住要往這方面想。他甚至有了這種念頭：文人無行，尤其寫小說的，感情隨時可以氾濫，……一直到院子裡響起了清脆的高跟鞋聲，他才從胡思亂想中醒轉來。曼秋滿面春風的進來了，定謨假裝完全不知道的樣子，毫不在意的，話從叼著菸的嘴縫裡抖落出來：「到哪兒去啦？」

「傅家駒要我上街陪他買買東西，物價直在漲呀！」曼秋很痛快的回答。她這時已脫了旗袍，祇穿著露背的襯裙，走過來，從椅子後面把手彎過來，摟著定謨的脖子，親暱的悄聲說：「吃完飯去看《野宴》好嗎？」

在往常，他一定會順勢把她摟在懷裡了，可是今天他沒這麼做，他的心中忽然起了一陣嫌惡，他想她和傅家駒在外面玩夠了，回來祇輕描淡寫的帶兩句，還把快樂的餘味來送他分享，他才不要呢！這念頭很快的從他心頭一掠過，不知怎麼，嘴裡就迸出了這麼一句話：「你倒還有這種餘興！」說完他也覺得自己語出不明，可是捉不回來了。曼秋聽了直起身子來，側著頭疑惑的也跟著念：「嗯？餘興？」

「我今天太累了，現在要去洗個熱水澡，早點休息。」

他岔開自己的出言不妥，同時起身往臥室去，換衣服的時候，他把兩張萬國的電影票，塞進皮夾的小夾層裡。

過了兩天的下午，定謨回家來，一進房門就看見曼秋在微笑著展讀一封信，桌上放著一個籃子，定謨過去打開來看，是滿滿一籃黃泥裹著的雞蛋。定謨問：

「哪兒來的？」

曼秋沒有回答，卻含笑把手中的信遞給定謨，那上面寫著：

曼秋同學：台北小聚蒙賢伉儷招待，甚為愉快。又承你陪我上街為我妻及小兒女們挑選衣料，妻非常滿意，要我謝謝你。這次能見到許多老同學，尤其是認識定謨兄，真是人生一樂事。我回來把「綠藻」的故事向太太翻版了一下，她在靜聆之餘，向我提議一件事，她說在綠藻尚未爬上人類的飯桌以前，請你們先嘗嘗她手製醃蛋，並囑我轉告，蛋未醃前先置日光下曝曬，醃後自然會有膏油矣！茲趁村人入城之便，帶上一籃請笑納。此祝儷安。

羅嘉上

「啊——他原來有太太呀？你你你怎麼沒說？」定謨看完信後，驚異的怪聲喊著說，那聲音是從多日鬱悶中解放出來的。

「怎麼？人家孩子都好幾個了。咦？難道你沒看，我告訴你有幾篇描寫他的家庭生活的文章？」

「看了，」定謨走到曼秋的背後，兩手緊緊的握著她的兩肩，低下頭來輕聲在她耳旁說：「我祇看了那篇〈孤獨者〉。」

曼秋回轉頭來奇怪的直望著定謨的臉，然後抿著嘴笑了：「怪不得！」這句話似乎有兩種意義。

「對了，」曼秋剛要到廚房去，定謨把她叫住了，從口袋的皮夾層裡拿出兩張票子，舉起晃了晃：「吃過飯去看《野宴》吧，今天是最後一天了。」

曼秋沒有接過票子，卻伸手把他嘴裡的香菸取下來，把身子湊上去，在他唇上輕俏的一吻，然後調侃的笑說：
「你倒還有這種餘興！」

四十五年七月一日

標會

「祇許成功，不許失敗！」

他把寫好的兩張標紙交給我，為我披上大衣，再囑咐一遍：

「看機行事，記住，必要的時候，拿出那張有『大』字的，……還猶豫什麼？看見寶寶燒得通紅的臉蛋兒沒有？沒個千兒八百的，想想，能住進醫院的病房嗎？……」

我抱著「勢在必得」的信念，朝趙太太家裡走。

我想起三個月前趙太太來邀我「上一支會」時，曾對我多方講解，而我仍不得要領，最後她給我下了這麼一個定義，才算使我恍然大悟，她說：

「銀行裡的『零存整取』你總該明白罷？這不但是一種利息優厚的『儲蓄』，急用時還可以有『透支』的好處。透支以後，也不過是『整借零還』。」

在這許多有利的條件下，終於我上了一支會。我是抱著「儲蓄」的目的上的，現在爲了急用，不得不做「透支」的措施。

我盤算著手裡的兩張標紙，一張是寫了二十四元的小標子，算一算，這個會一共十五支，每支一百元，已經標過兩次了，如果今天馬到成功，被我標到的話，除了付出十一個人的利錢，還可以淨得一千一百來塊錢，足夠寶寶住一次醫院的了。就算不幸，要拿出那張寫了三十四元的「大」字標紙來，也不過少得個百十塊錢而已。爲寶寶生病籌措金錢，雖是苦事，但對於以標會方式「透支」一下「儲蓄」，我卻以爲是一種互通錢財的公平辦法，我擁護這種辦法！我不以爲「上會」是不值得提倡的事！

說明三時開標，過時不候，我來到趙府還差一刻，正是時候。既不早，也不晚。趙太太對我講過標會的門道，她說：「你看吧，想標得的人總是七早八早就來了，而且還挺緊張的，無意要標的人才遲到哪！」

那麼在我之前，已經有趙、錢、孫、李、周、吳幾位太太在座了，她們難道都是想標到的嗎？不，她們正悠閒地抽著菸，喝著茶，開著節育座談會，都不像等錢用的樣子。於是我也做出滿不在乎的樣子，拿出小號標紙，摺好順序排在桌上，然後加入她們的座談會。

我的僞裝悠閒，使我又想起趙太太說過的話：「寫大標子的人才不露相哪！得沉得住氣。」那麼——這幾位表面悠閒的太太們裡面，就敢保沒有跟我一樣「勢在必得」的？想到這兒，我驀地站起來，從手提包裡掏出我那三十四元的老「大」來，走到桌前，把那小號的標紙換回來，這才放了心。看看錶，還差十分鐘，還有幾位太太沒到，八成是不想標的嘍！

我正希望人越少越好，這時又來了鄭、王兩位太太，她們進門就喊：「可別開標呀！這兒還有沒寫的哪！」

我的心一跳動：來了眞正要標的了！

祇見鄭太太掏出筆和標紙來，一邊下筆，一邊笑著說：「我今天是非標到手不可呀！」

「你？我也是勢在必得呢！」王太太口氣更堅決。

勢在必得？這屋子裡除了我以外，到底還有幾個勢在必得的？這倒值得我再考慮一下了。於是我伸手出去，又從桌上把我的標紙拿回來。「名字忘記寫了。」我向大家笑笑，掩飾著。看看錶，還有五分鐘了，我得趕快決定標子打算再加高多少錢。

這時玻璃門響，急急風上場，又來了兩位太太，這位馮太太高聲喊：

「標了會，好過個鬆快年兒！」

另一位陳太太說：

「誰不是等錢取大衣哪！」

是起鬨還是眞的？有幾位太太也學著我，把她們已寫好的標紙拿回來裝模做樣的在修改。那位張牙舞爪的錢太太說：

「我看今天呀，沒四十塊錢是寫不下來的呀！」她說完，眼睛飄了我一下，又衝著孫太太擠擠眼：「你說對不對？」

孫太太說：「我看四十塊錢都未必寫得下來！」她也拿回標紙，做著塗改的樣子。

這些人的口氣眞能壓死人，如果四十塊錢都寫不來，我那三十四元又算老幾呢？我想，無論她們怎麼等錢用，都沒有我的家裡躺著高燒的寶寶更重要罷。於是我略加思索，立刻把標紙上的「三」字加上一大直一小直，變成五十四元啦！

開標了，我的心劇烈的跳動著，天佑吾兒，可別有人超過五十四元呀！

會頭趙太太在逐個唸著標紙上的錢數了：十元的，八元的，十五元的，十三塊八角的，五元的，一元五角的，二十元五角的，……「五十四元！夏太太的！」趙太太加重語氣地喊。

哈喝喝！嘻哈哈！……一陣爆裂性的笑聲跟隨在「五十四元」的喊聲之後。我也高興得大聲笑了，我笑的是——五十四元，我標到了！我到底標到了！我要趕快回家告訴他：孩子住醫院沒問題，因爲我標來了！但——別人笑的是什麼？我環視衆人，她們都看看我，指著我，在笑。

這時趙太太走過來，拍拍我的肩膀說：

「今兒個怎麼啦？太太！寫冒出去啦！」

「冒出去了？」我還不太明白這句術語。

「冒出去三十多塊！人家頂多才寫二十塊五毛呀！」

忽的我的臉燒漲起來，這回我明白那爆裂的笑聲是爲了什麼——爲了她們在看一個傻瓜寫「冒出去」的笑話！

王太太說勢在必得，她祇寫了五元。要取大衣的那位，寫了八元。姓錢的說非四十元寫不下來，她可寫的是一元五角！她們倒是存的什麼心？

在她們每位的身上，我投下了五十四元的高利，卻換來的是一場嘲弄、謊言、騙詐、虛僞。我想起有一本世界名著的書名，最切合我當時的身分：《被侮辱與損害的》！我回憶剛才這短短十五分鐘的經過，它竟使我白白的費了三百多塊錢，我不免驚異，並且想起了那潦倒一生的吉辛在《四季隨筆》裡的一句話：

「使我顫抖的浪費！」

但無論如何，八百零六塊的會款是握在我手裡了，我們可以理直氣壯的到醫院去。當我回家把標到的消息告訴他時，他也很高興：「多少錢標來的？是二十四還是三十四？」

「全不是，是五十四。」我平心靜氣地告訴他。

「五十四？你是說你寫了五十四塊錢的標子？」我知道他會被這數字嚇倒，便把準備好的謊話搬出來：

「年底下啦！知道不知道？虧得你告訴我見機行事，有人寫五十三塊五毛哪！差五毛錢，多險！」爲了分散他對這件事的注意力，我不再多說，我叫他趕快去喊車，我給寶寶穿衣服。

「三輪車！台大醫院！」

到底有了錢，那飄盪在寒流大空下的聲音，是顯得如此深沉而雄壯！

四十五年一月二十六日

春酒

到徐三叔家去拜年，是精神的負擔。這份美差事，卻不能出讓給任何人。留在大陸的公公，曾經再三囑咐我們：徐三叔家可要常常的走動，總算是老世交了。

到了徐府的門前，望著新油漆的朱紅大門，我心裡不禁一陣慚愧，每年一次像例行公事樣的拜拜年，顯然是虛僞。最糟的還是死硬派的他，眞是比卸任處長大人徐毓如徐三叔的架子還大，害我這兩年總是單槍匹馬，每次不得不編一套謊話。去年我對徐三叔扯了個謊：

「老六這幾天正出差到南部，等回來再給您拜晚年。」

「哪裡，太客氣，想法多出幾趟差可以多混點兒零錢花，現在公務員太清苦啦，怎麼樣？都好罷？老爺子有信兒嗎？」

聽聽，多關心！人家有什麼虧待我們的？爲什麼他總是那麼固執？一晃兒一年又過去了，今年這份差事又頂在我頭上，讓我再拿什麼去自圓其說呢！

我還在猶豫，朱門慢啓，裡面傳出一陣喧嘩聲，是退出來的一批拜年客，我遙見徐三叔夫婦站在玄關上頭，不住向外面的客人點頭，擺手。這時我身後又湧進一批新客人，我雜在客人堆裡向裡走，脫鞋，進屋，鞠躬，一直到擠在徐三嬸的身邊，她才看清了我：

「喲！是你！一個人嗎？」說著她向客人群裡找，我不得不又把謊話搬出來，我先把眉頭一皺：

「仨孩子過年倒吃壞了倆，老六在家看著他們，所以我一個人……。」說完直後悔，我咒天咒地也不該拿我那活潑可愛的三隻醜小鴨咒著玩呀！他們都壯得像小牛！

「眞是，請醫生了嗎？帶他們到中心診所去看看吧，公立醫院靠不住，多花倆錢不吃虧。」

我聽了心裡直彆扭，但不得不唯唯稱是。徐三嬸今天打扮的格外漂亮了，「昨日勝今日，今年老去年」的話對於她並不適用，徐三嬸明明比去年年輕了，猩紅蔻丹的十根嫩蔥般手指，捧著一隻高玻璃杯的熱茶，茶杯舉在鼻子尖底下，熱騰騰的水氣照著她的白臉蛋兒，好一幅悠閒夫人品茗圖！誰比徐三嬸更有福氣？可是她卻常常叫苦：

「哎喲！這裡比不得大陸，這陰陽怪氣的鬼氣候，這脫鞋穿鞋的日本房子，孩子們在榻榻米上一跳動我就犯心臟病，咦？給我打針的劉小姐怎麼還沒來哪！」

「好啦，好啦，我們有希望回大陸了，你這幾年在台灣受的委屈我全知道，哈！哈！」

徐三叔走過來安慰太太，我慌忙站起來，準備應付他見了我的那套問話，我真沒有理由嫌煩人家，徐府上的人個個對我們這麼客氣，關切。客氣中帶著憐憫；關切中帶著施與！

徐三嬸把我拖進她的臥室，和一群女客堆在一起，這時外廳又來了大批客人，打拱作揖之外，我又聽見客人喊：

「處長，恭禧！恭禧！」

我聽了嚇一跳，是徐三叔又發表了什麼處長嗎？灶下婦孤陋寡聞，他總該知道，也不告訴我一聲，沒有道個喜，豈不太失禮？在刹那驚疑間，我又聽見徐三叔說：

「同喜，同喜，台灣解除中立化，反攻大陸指日可望！」

我這才放下一顆心，原來恭喜的是台灣解除中立化，不過「處長」這一稱呼，卻隨著指日可望的反攻大陸而死灰復燃了，徐三叔今天雖仍然是以在野之身的寓公姿態出現，不過今年的情形大有不同就是了。

華燈初上，徐府上擠得烏煙瘴氣，我想起身告辭，卻找不到女主人，來去光明磊落，我不便偷偷溜走，所以一直孤坐在客人群裡等著，直到徐三嬸再度出現，我卻又糊裡糊塗隨著客人們被讓入宴席中坐下了。我坐在那裡直像個大木瓜，因爲我想不透今年徐府的新年何以不同於往年。

「處長，乾杯，明年可不是在台北給您拜年啦！」

「三爺，大陸同胞的苦難，全仗您東山再起去解救，乾這杯！」

「毓老，我代表全體旅台同鄉敬您一杯！」

於是——讓酒、猜拳、請菜，直把徐三叔灌得成了老醉貓兒，徐三嬸也桃紅泛雙頰。談話之間，我已體會出徐三叔對於反攻大陸也預備挺身而出有一番作爲，先產生同鄉會什麼的，然後，彷彿就要組織某省省政府，連省長都內定了，可別像在重慶那回，一步回遲，什麼都讓人搶光了。

我又聽見鄰座的太太說：

「這幾年在台灣，下女的氣算受夠了，等反攻大陸回北平，第一，先把我們的小張媽兒從三河縣找回來！」

「阿拉回上海也定規要把家庭教師劉小姐帶去，沒有她，我家小孩怎麼過！」

一位上海太太說。

然後她敘述如何家裡放了六個孩子還能出去打牌徹夜不歸，全仗了身兼保母、管家、教師的劉小姐，現在連注射肝精都由劉小姐一手承辦了。

有人問劉小姐月酬若干，她把兩個手指頭向上一送，搖兩搖：

「迭個數。」

「軋便宜！」一位太太伸出舌頭，「我家阿嬌還要兩百四！」

「所以嘛，等打回大陸定規要帶她去，脾氣還蠻好。」

呀！大家都等著打回大陸（等誰打？），在做種種打算（如此打算！），我還在夢寐中，我也彷彿被這愉快的情緒所影響，心神飄過了台灣海峽，……扔在大陸的妹妹、年邁的翁姑、無數的親友……我竟不知是喜？是悲？在恍惚中，那隻鑲著紅寶的蔥蔥玉指，舉著一杯琥珀色酒伸過來了。

「你也乾一杯，少奶，等到反攻大陸，就都有辦法了，老六還愁沒個稅局局長幹幹！你們也不至於這麼苦了，台灣這點點人，大陸不夠分的！」

我舉起杯子，忽然想起方才客人們的話。內定的省長，三河縣的小張媽兒，一路回家的家庭老師，現在徐三嬸又派給他一個稅局長！但無論如何，我要感謝徐三嬸的美意，仰起脖子，一飲而盡，我心裡好堵得慌！

告辭出來，走在無人的黑巷裡，我的雨鞋踹著爛泥，噗吱，噗吱，雖然不好聽，可也夠節奏。我急著回家，可是回家的路怎麼走？我腦子裡一會兒是小張媽兒，一會兒稅局長，一會兒是徐公館……天旋地轉，莫辨東西。

細雨濛濛，我摸摸頭髮濕了，打一個噴嚏，橫隔膜直朝上頂，只覺得胸門滿脹，似乎全部的委屈要衝出咽喉。

我急急向前走，走到小巷盡頭的一盞暗黃的街燈下，靠著電線桿子，用手使勁向胸口下按，可是按不住了，我一哈腰，張開嘴，向著臭溝就是一陣亂哇哇，心中的齷齪，都隨著臭溝水流走了。感謝台北的明溝，它的用途這麼大！等我直起腰來，吸一口涼氣，才知道「傾吐為快」的滋味如何。

我這時完全清醒了，也弄清回家的路到底該怎麼走，我差點兒被徐三叔家的一席春酒攪糊塗了。

四十二年三月七日

鳥仔卦

一陣四月的和風把掛在拘留所廊下的小鳥籠吹得直晃盪，迎著午後陽光的那隻小鳥，在籠子裡跳來跳去，小紅嘴兒喳喳的叫著。

坐在屋裡的年輕的看守，正無聊的注視著這個鳥籠。看那鳥兒的活潑，鳥籠的動盪，感覺到陽光的溫暖，不由得引誘他走出陰暗的屋子。在屋簷下，他伸手把鳥籠摘下來，衝著裡面的小鳥，吹了一聲口哨：「噓——！」然後問小鳥說：「悶得慌嗎？」

小鳥拍拍翅膀，這樣回答：「吱吱——喳喳！」

年輕的看守笑了，他叫在屋裡打盹的那位：「老張，你來看！」

老張惺忪著睡眠出來了，漫不經心的問：「這是什麼鳥？麻雀兒？」

「麻雀兒？麻雀兒會算命？家家屋簷底下都是。兔子要是架得了轅，誰還買大騾子呀！你別土豹子啦！」

「就算我土豹子好了。可是說眞的，那算命的，他怎麼就能把這小鳥訓練得會跑出籠子叼紙牌，叼完就回籠子而不會飛走呢？」老張兩手插在褲袋裡，繞著鳥籠子在研究。

「籠子裡總該是個舒服地方吧！人家常說『鳥爲食亡』，牠吃喝現成，倒用不著爲食奔波呢！也不用擔心外面的狂風暴雨。——所以你看，咱們這兒的生意也不錯呀，連算命先生都要進來白吃白住了，哈哈……」年輕的看守指著對面的拘留室笑起來。

「我不信，」老張拿過鳥籠來，「我就不信牠不愛外面更自由的天地，放開試試！」

「你就試吧！」

鳥籠子被老張打開了，小鳥跳到籠門口望了望，又縮回到籠子裡。

「你看怎麼樣！」年輕的看守很得意。

「也眞怪！」老張很納悶兒的搖搖頭，又好奇的再一次把鳥籠子打開，伸出掌心接在鳥籠子門口，那小鳥兒跳了兩跳，叫幾聲，果然又探出身子來。這回跳到老張的手心上了，並且啄了啄，老張手心被啄得發癢，嘿嘿的笑了。

他向年輕的看守點點頭說：「看！……」他高興得還要說什麼，但是話還沒說出口，那鳥兒拍拍翅膀，飛了！飛到欄杆上停了一下，似乎在選一個方向，又繼續向高處飛，向遠處飛，飛過了樹梢，飛過了樓邊。祇是一瞬間，牠就不見了。

「呀呀！」兩個人顧不得說話，四隻手向空中亂抓，但有什麼用呢！

兩個人互相埋怨起來，老張指著樓那邊中間的房間，歉然的說：「眞不好意思，那算命的曾再三拜託過我呢！」

蹲在拘留室一角的算命先生，他正以十分無奈的心情向著鐵柵窗子呆望。從這扇高高窗子望出去，祇是一小塊單調的藍色天空，但在藍色天空下的世界是多麼廣大，到處是山林、村舍、街道、田地、人群，……可是誰是和他有關係的呢？他胡亂的想著，想到了他的番種小文鳥。他想到那個圓鏃似的小紅嘴兒，跳出鳥籠來叼紙牌，從牠嘴裡叼出來的命運之牌，維持著他倆可憐的日子。想到在灰暗的小旅舍中，他怎樣一粒一粒的餵牠吃穀子；他總要把牠餵飽了，才肯用一碗米粉湯來塡自己的肚子。近來算命的生意實在太壞了，人們怎麼會變得不喜歡算命了呢？他帶著小文鳥，一村一鎭，一鎭一市的串過去，常常整天都沒有生意。沒有生意，使他餓得發慌，其實他只要一碗米粉，小文鳥只要幾粒穀子，就夠他們湊活一天了。

幾粒穀！就是幾粒穀，他才被送到這裡來。世間有些事他不太懂，也算不出來，也許他祇顧算旁人的命運和錢袋，對於自己的未來就顧不過來了。正如他被送進這間屋裡來時，躺在對面的那個老龜奴嘲笑他的話：「算命先生，你的鳥仔卦就沒給你算出要受牢獄之災？喝喝！」

這次的事情，第一他不懂的就是那個女人爲什麼哭？她蹲在樹底下，抽抽噎噎，哭得那麼傷心？好像誰在要她的命，跟著就是爲那幾粒穀，鳥店的主人怎麼也對他那麼不依不饒的？

這天的天氣很好，他一早便餓著肚子從城西的小旅店裡出來。這個相當繁華的小城鎮，他是前年來過的，道路還模模糊糊的認識，他的腋下夾著包裹在黑布包袱裡的鳥籠，小文鳥暗無天日的在裡面跳著，叫著。他的肚子是滾著昨天一天喝下去的風吧？像打雷似的鳴叫著。——今天非得算個好命不可了！在肚子裡一陣咕嚕嚕的響聲之後，他不由得這麼想。身上一個錢也沒有了，就連那小火柴盒裡也祇剩下了幾粒穀，他和小文鳥都要吃飯，要活下去呀！

——算一個好命，一定要算一個好命。他想著，手裡的兩片竹卦頭便敲得更響，喊聲也提高了。

「卜鳥仔卦！卜鳥仔卦！」噠！噠！噠！噠！

「老人卜尾景！」嗟！嗟！「少年的卜運氣！」嗟！嗟！

卦頭隨著他的叫喊聲有節奏的敲著，那聲音就像要把每個沉睡的人都敲醒來。可是一上午白白敲喊過去了，並沒有人理睬他。

他走得熱了，又口渴得很，但連喝一碗茶的錢都沒有，他就站一棵大樹底下乘涼，看日頭的影子，知道這時已經過午了。

就在樹蔭下，他遇見了這個女人，她蹲在那兒，拿樹枝畫著土地。他要看看她畫的是什麼——測字他也會呀！走過去，她抬起頭來，他們打了一個照面。他有禮貌的向她點點頭。但是她沒理他，仍低下頭畫她的。

他低下頭看自己的黑布膠鞋上，滿是塵土，他用力的跺了跺腳，便也順勢蹲下了，把黑包袱放在身邊的地上，手中的竹卦頭「呱嗟」一聲擱在包袱上。

那個女人，彷彿吃驚的抬頭看了看，冷冷的問說：「你是算命先生？」

「是啦！我是卜鳥仔卦的，老人卦尾景，少年的卜運氣，鳥仔卦眞有靈，卜人貴賤生死無差。——看你的相，是好命相。」他捉住好機會，向眼前的女人展開了一套江湖話。

「好命？什麼樣的人才有好命呀？」女人似乎感到興趣了，但仍是冷漠的問。

「好命——」他斜著頭思索了一下，「好命——我給你講一個好命的人，鹿港的辜顯榮，你總該知道，他就是千萬人中難得的順命。」

「怎麼順？」

「怎麼順！他這麼順——辜顯榮的生辰八字算起來剛好是虎兔龍蛇順排的，虎年兔月龍日蛇時生，一順百順，是命中注定的。」

他講得很賣力氣，爲了要博取這個女人的信任。雖然辜顯榮的八字究竟是不是像他所說的這麼確實，他也不知道，這原是師傅傳授的一套。但是提到辜顯榮，人人都知道就是了。如果這個女人要算命的話，他爲什麼不可以替她算個好命呢？卦中乾坤，全在他擺弄的幾張紙牌上呀！於是他問她：「這位大姊，你是屬什麼的？」

「嗯——」她遲疑了一下才回答：「屬雞的。」

他仔細觀察一下這個女人，滿額頭的紋路，緊鎖的眉頭，黝黑的皮膚，她該是勞心又勞力的女人，看上去像三十多歲，但是他知道她不會那麼大。「啊！屬雞的，你是民國二十二年癸酉生人，今年二十五歲。」

女人點點頭，眉頭展開些，好像有點信服了。

「那麼，」他又接著說，「今年丁酉，剛好是你的本命年，家裡有屬兔的嗎？有的話要注意，雞兔是太歲沖呀！」

見女人在傾聽了，他便進一步從懷中掏出一個小髒布包，打開來是一個小竹筒，裡面有十六根卦籤，他把籤筒搖兩搖伸到女人的面前，她猶豫了一下，還是伸手抽了三根籤。

「坎爲水，乾爲天，坤爲地，……」他念著籤上的字，邊問邊講，他先從女人的嘴裡知道一些她的事，然後再向她解釋著，警告著，比喻著，安慰著。他又問她：「要問什麼？」

人總是希望預知未來的，她也不例外。那麼他要給她一個好的未來，一個令人安心，令人興奮，有希望而又富足的未來。爲什麼不呢。眼前這個女人，無疑是有著痛苦的，爲了要解除這個女人的憂心，爲了自己的一頓飽餐和湊出旅店錢，他將毫不吝惜的多說幾句好話。

他問了她的生辰八字，掐指算一算，驚異的瞪著眼對她說：「好命，是個好命，此命生來福祿豐，榮華富貴喜沖沖，事事隨心皆如意，堆金積玉粟滿倉……」

他說得高興，忘了熱，忘了餓。她也聽得開心，眼睛裡開始閃出希望的光輝。隨後他打開黑包袱，露出那隻竹條油透並且沾了一層泥的小鳥籠來——他每次打開它，就會歉疚的想；有機會該給小文鳥換個新住處了。他又打開了一包紙牌，一邊嘴裡扯著閒話，分散女人的注意力，同時一張張的選著，揀出預備給小鳥叼的牌，排在固定的地方。訓練小文鳥叼那有記號的紙牌，是一件費時費力的事情。紙牌的一邊點了像穀子樣的小圓點，餓著小文鳥的肚子，讓牠在紙牌中叼出有像穀子記號的牌。

在挑選最後一張卦錢牌的時候，他曾想了想，拿出哪張來呢？「天神送元寶」？還是「天送黃金」？別那麼狠心吧！「天送黃金」也就差不多了。

於是他打開鳥籠放出鳥兒來，一張，一張，牠一共叼出了四張牌，他都接過來排在手裡。然後把火柴盒僅餘的幾粒穀子酬謝了那隻仍食人間煙火的神鳥。

他順序的打開那有著畫兒的紙牌給女人看，並且爲她逐一講解。第一張是美麗的雞，表示她的屬相，第二張是句諺語「雙腳踏雙船」，他告訴她，做事不要猶豫，不要腳踏雙船，認定了一方、努力的去做。譬如婚姻吧，認準了那個人就嫁給他，將來榮華富貴是保有的。——看！他又攤開了第三張，告訴她，這是鳥仔所卜的「郭子儀七子八婿大拜壽」圖，象徵她的未來，晚景是如何的美好！

接過那張紙牌，女人展開了笑容，仔細的端詳著。她是在想那美麗的未來的晚景，足可以抵過眼前不幸的遭遇吧？七子八婿！她的臉紅紅的發燒了。他相信這女人是這樣想法的，因爲她精神顯得振作起來了，他的幾句話就像清晨的露水，滴到她如花的生命裡，不再枯萎了。那麼就在她轉憂爲喜的當兒，他攤出了最後的王牌；「天送黃金四十元」，這個好卦，他祇收她四十元。

「四十元?!」她像受驚的小鳥，立刻收斂了笑容，「四十元！不，我沒有，沒有那麼好的命，算命先生！」她焦急的喊著。

「你看，」他平心靜氣的又拿出一張牌，「你並不是最好的命，天神送元寶八十元才是最好的呢！」

「不，」女人還是堅決的否定，並且哭了，「不，我要是有好命，怎麼身上連一塊錢也沒有？我是那箱裡的垃圾，被人削了皮，掃出來，扔掉的，我一個錢也不值！我一個錢也沒有，哪兒熬得到七子八婿那個時候……」

她就這麼數叨著哭起來了，他沒見過像她這麼不知好歹的人，算出了好命來倒不承認。去年他給一個胖女人算了「天神送元寶」的命，人家還另加十塊喜金呢！看她哭，他愣愣的也沒有辦法，但是這時卻圍上了一圈看熱鬧的人。眞有愛管閒事的，挺身而出的是個外省人吧，指著他鼻子說：「四十塊！你不是窮開心嗎？你看她這身打扮，哪裡有好命，不會到對面高牆門裡算去！路邊上餐風飲露的，還有什麼好命！」

喲！這一卦倒算出了這位客人的一肚子牢騷，他何必那麼激昂，竟把對世間的不平，藉著無影無蹤的四十塊錢發洩起來了！但是另外一些人的默默不言，也是表示同意嗎?在這個情勢下,他除了走開,還有什麼更好的辦法?於是他一言不發的捲起了黑包袱,唉的歎了一口氣,從嚶嚶的哭泣聲中,從多少隻對他陌生又懷疑的眼光,走開了。

他沒有目的向前走。——找錯了主顧他該挨餓,沒有什麼可埋怨的,他一邊走一邊想。祇是怎樣解決眼前的生活呢?店錢!飯錢!好吧,他餓一頓也是餓,餓兩頓也是餓,可是憑什麼小文鳥也跟著他受罪呢。他想著不由得夾緊了腋下的黑包袱,拍了拍,像母親拍她懷中的孩子。在黑包袱裡是個遠來的小鳥,牠的祖宗是在馬來群島的,所以人們叫牠番種文鳥。淡紅的小圓錐嘴,蒼灰的背,淡葡萄的肚子,小小的黑翅膀,可有兩隻紅腳,在他的手掌心上那麼乖巧的啄著穀粒,他們相依為命的,有兩三年嘍!……

忽然他的耳旁傳來一陣吱喳的聲音,原來不知什麼時候又走到這條有鳥店的街上來了。昨天他曾走過這裡,並且徘徊了許久,為那隻小巧的鳥籠子不是還發了半天呆嗎?怎麼今天又不知不覺走到這兒來了?

走進鳥店,看看那成百的各色鳥兒在漂亮的籠子裡吱喳叫著,他不禁為腋下的小文鳥叫屈,他夢想給小文鳥換個鳥籠不止一天了,可是到了今天,連火柴盒子都是空的,還談什麼鳥籠。他滿心羨慕的挨個摸著那些鳥籠,有鋼絲的,有漆竹的,料這麼好，工這麼細，在一轉身的時候，他又看見了一籮穀子，——啊，也有鳥食賣呢！這倒是目前最需要的，不過——他隨即想起了自己的空錢袋。但是過了一會兒，不知一個什麼念頭竟驅使他在看看店裡沒有人的時候伸出手去，抓了一把穀子，那麼快，那麼不加思索的。

就在這同時，他卻被店後面出來的人捉到了，是當做賊一樣的被捉到了。

「我在後面看你半天了，摸摸這個摸摸那個，昨天的一對琥珀鸚哥偷出滋味來了嗎？」

「不，昨天不是我。眞失禮，剛才我祇是拿了些穀子要餵我的鳥，我是卜鳥仔卦的。」他後悔太大意，趕忙解釋說，臉也羞得脹紅了。

「算命的！哈哈！你倒算出那兩隻琥珀鸚哥是我店裡最值錢的鳥來了。昨天就是你，是不是？在店門口來回走了半天？晚上我的鳥就丟了！你會算，算準了。」

那是一個怎樣尷尬的場面，他無論怎麼解說，都不能得到人家相信，鳥店主人不依不饒的認準了是他偷的。在這個鎭上，有什麼人能爲他證明的呢？他是個陌生的旅客，昨天才來到這兒的，旅店的主人能證明他嗎？他們會說：「這小子，我剛看見他的，在五福街的樹蔭下，騙一個女人！」

他終於像一個嫌疑犯被拘留起來了。在拘留所的進門處，他又被攔截住。「家畜不能帶進去！」

「牠祇是一隻小鳥。」他小心翼翼的解釋說。

「小鳥！螞蟻也不行呀！」

就這麼，他把鳥籠雙手捧給看守，好言的拜託了一番。小文鳥卻像一個無知的孩子，盡管在裡面亂跳。

現在，他呆望著窗外的藍天，渴望那遼闊的天地。這世間雖有許多事他不懂，而且也算不出，但是他總要生活呀！

在窗前，他忽然瞥見一個小黑影掠空而過，他不知道那就是被放出籠的迷途小鳥，還滿心的盤算著，他和小文鳥下一站的旅程會在什麼地方落腳？

四十六年五月一日

初戀

那一年我流浪到南部的時候，袋中已經一文不名了，還好幼年的同學吳君是本地人，他問我可耐得了寂寞到不遠的鄉下去做猢猻王？我那時祇要有個寄身之地，並不計較更多。不過當吳君對我講校長是位老處女時，我倒有些躊躇不定了，我對吳君說：

「老同學，你是最清楚我的脾氣的，像我這樣的人去跟老處女打交道，不怕要壞了你介紹人的面子嗎？」

吳君卻一再請我放心，他說：「這是一位不平凡的老處女，她不但會使你賓至如歸，而且你的壞脾氣還應當受她的感化呢！」

果然如吳君所說，我不必爲校長是老處女而懷什麼戒心，因爲她對我的態度除了寬仁的上司外，還兼有慈愛的母親、善導的師長，使我像遊子歸來的感覺到家的溫暖，雖然這裡並不是一個完整的家，而且這位女主人也不過像我一樣，是個獨身者。我和她所不同的是，我還年輕，也沒打算終身不婚，而她似乎是大慈大悲的觀世音菩薩化身，是爲獻身教育而來到人間的。我沒聽說她以前有過戀愛，以後總也不會走上婚姻之路吧，因爲她已經五十二歲了。這裡的鄉人也常常說起，校長是孝女，她的父親教了一輩子書，她因爲孝心承繼父志而終身不嫁，拿自己應得的財產創辦這所鄉間學校，是多麼令人欽佩！

她對我關護備至，常爲生活毫無規律的我整理凌亂的衣物，或者坐在燈下爲我縫補衣鈕。我常常想，她不但是好校長，更是好主婦，如果她結了婚，而且兒女環膝的做了母親——甚至祖母，生活又該如何不同？我不由對她起了疑問，是什麼使得她摒棄了正常的婚姻生活，而在這寂寞的山村做一輩子村童的老師呢？我幾次想問她，但終因尊重她，怕冒犯了聖潔的她而住口了。

暑假來了，我竟因安於這安靜的山村生活，連吳君邀我和他的妹妹們一同到省城旅行都婉謝了。我常常和老校長對坐著，泡一壺好茶，各人一書在手，或談或讀，消磨這炎熱的時光，卻也不難。校長有時也很風趣的，她對我的稱呼常常不同，在學童的面前當然是嚴肅的叫我「老師」，但背後她總是「小妹妹」、「小淘氣」、「小女兒」的隨便叫。

有一天晚上，我坐在對面房裡望著她孤坐燈下的神態，不免又勾起我對她的遐想，看她頭上已經長出了白髮，想到一個人獨身一生是什麼滋味，她那麼安詳，那麼正常，要探索她的內心，可也不容易呢！我剛洗完頭髮，一邊梳髮，一邊在琢磨她。她猛一回頭，見我這副呆樣子，便走過來笑著說：「又想家了嗎？」她常常以爲我會想家的，便坐下來哄我說笑，我知道她滿心是想安慰我旅居的寂寞。

她把我披散在額前的長髮攏到耳後去，望著我的臉突然問我：「爲什麼你一個女孩到處亂跑，還不打算結婚呢？」

我不知道應當怎樣回答她才好，但我隨即感覺在這樣一個慈愛關心我的老校長面前，沒有什麼可隱瞞的，便直率的告訴她說：

「第一次的戀愛沒有成功，以後再也不會輕易去嘗試了！」

她聽了先是一愣，隨後便笑說：「那麼你到這鄉下來，是爲治療愛的創傷嘍！」

我乘她打趣我，便也向她開玩笑說：

「那你又爲什麼不結婚呢？」

「我嗎？我這樣不是很好嗎？」她斜頭微笑的回答我。

「我聽過許多不結婚的人總是這麼說『我這樣不是很好嗎？』」我學她的口氣，又接著說：「其實，你如果結婚，一定更好。」

「爲什麼呢？」她對我的話似乎感覺興趣。

「因爲你實在是一位好母親的典型，」我跟著又逼了一句：「說不定你曾有一個故事。」

「一個故事？一個什麼故事？小淘氣！」她把我的頭髮一下子又弄亂了。

「一個——戀愛的故事，有沒有？」我簡直是大膽的在詐取她，雖然以前我從沒有這麼想過，這祇是脫口而出的一句話。

她聽了我的話，並沒有氣憤，反而很神祕的點點頭說：「還沒有人這樣猜測過我呢！」

今晚她似乎很興奮，照例我們臨睡前的一段消遣時間是在庭院中央的。她拿來了一壺好茶，同時還帶來了一張發黃的照片。她拿給我看，並且說這是二十年前和她的父親、妹妹合拍的。但是我看照片上面還有一位青年，忽有所感，便問她：

「那麼，他是誰呢？」

她沒有立刻回答我所問，卻坐在藤躺椅上，端起一杯茶品茗著，眼睛看著那杯茶的熱氣，慢慢的說：「你不是疑心我有個故事嗎？二十年來，我第一次把這個故事講出來，我希望你是唯一聽這故事的人。」她說著拍拍我的手背。就在這滿天星辰的月光下，我全神灌注的聽著下面的故事。

我的雙親情愛逾恆，自從母親去世後，父親為了避免睹物傷情，便帶了他唯有的兩個女兒——我和小妹，遷居到傍燕兒山的這鄉下來。

父親看中了這塊地方，是因為有一年和學生旅行，偶然發現的，不知怎麼，他便一心一意要實現在這裡買一塊地蓋房的願望。他親自設計建造這所紅磚的小洋房，原是要和母親終養天年的，誰知母親還未及看到它的完成，便撒手先去了。但是父親仍照原來的意志，辭去半生教授的職務，決心鄉居著書。

我雖然正為失母而悲痛，又突然離開城市，離開熟稔的親友，到一個陌生的鄉下過活，但當我走進這所新居時，不禁給眼前新鮮的景色迷住。藍天、綠竹、紅磚、白牆，配合得這樣醒目清心，雖然後來在妹妹出嫁和父親死後，我孤單的面對粉刷一新的白牆，曾度過一段今生最寂寞的時日，但當初進新屋之時，卻是以重整起愉快的心情，領受母親死後的新生活。

母親一死，主婦的責任很快的落到我身上。在她剛死後的一段時間，曾由姑母來同住主持家務。我們決定鄉居後，姑母便把一串鑰匙交到我的手裡，她囑我應如何勤儉持家，因為我的母親在父親一生微薄的收入下，積蓄起兩所房屋，並非易事。她又說母親為我們姊妹用心良苦，因為沒有兒子，這兩處房屋是要留給我們姊妹倆做嫁妝的，紅磚洋房屬於我，城裡的那棟給妹妹。我當時對於姑母所說並不留心，我雖已在女子師範畢業，但是家庭親愛的氣氛濃厚，使我很少想到家庭以外的事情。

持理家務，我該勝任愉快，因爲母親早已給我留下了好榜樣。我記得幼小時候看見母親腋下的一串鑰匙，走起路來擦擦作響，是如何的羨慕！有時她遺落在桌上，我便要拿過來玩弄一番，學著母親的樣子，掛在腋下跑來跑去，害得母親到處找不到。那一串鑰匙因爲在母親的腋下摩擦多年，已經光亮圓滑。我從姑母的手中接過來，便很自然的掛在我的腋下了。

鄉居的日子簡單多了，父親在日落以前便完成他的書房工作，用不著像在城裡似的，非在夜間才能靜心寫作讀書，也沒有那樣多的學生來問這問那的擾亂他的清思。他的健康因爲來到鄉下也明顯的有了進步。偶然有人從城裡來看望父親，都爲他能在喪了愛妻後，反而紅潤的面色感到驚異。

剛搬來的那年，妹妹祇有十二歲，我比她大了一倍。我要照應這樣小的妹妹和老父，儼然是個小主婦了。縫補一家人的衣襪，教妹妹讀書，處理一切瑣碎的家務。不久以後妹妹考入城裡的女子中學，住在宿舍裡，一星期回來一次，這期間祇有我和父親，還有老僕張同。但是逢到寒暑假期，妹妹回來，有了這個活潑的小姑娘待在家裡，我們就熱鬧多了。

溽暑的午後，寂靜如睡，父親在書房裡一手搧著芭蕉葉，一手握筆疾書，天氣悶熱，大家揮汗如雨，可是他因爲專心在書案的工作，從不覺得身外的事務與他有何關係，他對寫作的興趣這樣濃厚。

我則常在這個時候帶著小妹在竹林爲牆的幽徑中乘涼，聽她的小嘴講出來那些學校的生活，我們大笑著。好像唯有小妹在家，才能打破一段過去的沉寂生活。

當炊煙嬝嬝而上，會合著暮靄，雲煙不分的時候，父親放下了筆，從書房出來，領著妹妹到田間散步，我則收拾起活計或書本，到廚房去督促老張預備晚飯。他們散步回來，大家便坐在院中晚飯，我們在飯桌上看著烏鴉歸巢，呱呱呱呱的亂噪一陣，在鄉間，這是夜幕垂下前的先聲。烏鴉過去了，天暗下來，萬籟墮入寂靜。雖然也有遠處傳來幾下汽笛嗚嗚聲，劃破長空的寂寞。掌燈不久便該休息了。我爲父親的臥室驅蚊，落帳，整理床鋪。父親雖然沒有了母親，並沒有改變他生活上的一切習慣。

早晨如果有空閒，我也常隨著父親領著妹妹出去走走，踏著露水未乾的野草，聞著清晨濕土的氣味，很是舒服。

冬日像蟲一樣的蜷伏在屋子裡，和外面接觸的生活更少。春天來了，翻開隔年的乾葉和雜草，我也喜歡做種種的工作。日子就是天天如此，年年如此，迎春送冬的也不知不覺在鄉下四易寒暑了。最初的一兩年，不但父親常帶我們到城裡去購買書籍物品，城裡的親友和學生們，也時常結伴到鄉下來小住盤桓。可是後來父親漸漸安於鄉居，懶得進城去，親友們來看望父親的也比不了前兩年，我們漸漸被人們淡忘了。

姑媽卻照例在每年的清明節前到鄉下來。這一年她見了我便驚訝的說：「芳兒，你瘦了！」我沒有覺得，摸摸自己的下巴，然後笑笑說：「是嗎？我並沒有生病呀！」

姑媽的神情彷彿也不同於往年，她常常注視著我，又有時和父親談些什麼不願讓我們聽見的事情。有一天我走到後院的廚房，聽姑媽和老張說話：「老太爺胡塗，總得張羅張羅，不能讓大小姐伺候他一輩子呀！……」竊聽的滋味很不好受，我趕緊繞過前院去。心裡可打了一個結；是姑媽要給父親續絃嗎？她看我瘦了，以爲我操持家事累的吧？但是我決沒有這種意思，自己的父親，自己的家，責無旁貸，怎麼能談到累不累呢！我覺得姑媽有點誤會我了。但是，眞要爲父親續絃的話，當然沒什麼不好，不知道姑媽看中了什麼人，怪不得常跟父親嘀嘀咕咕的談話。

又有一天，我們閒談話，那天妹妹也從學校返家。姑媽看著我，卻回過頭去問小妹：「蘭兒，你今年十幾啦？」「十六了，姑媽！」我順口接過回答，但是說出來我又後悔了，我忽然意識到姑媽實在不是要知道小妹的年齡，而是想藉此算算我的年齡吧！我也知道姑媽所以不願直接問我的緣故，是因為我已經不小了——二十八歲了。

姑媽回城裡去，小妹又回學校，這裡更無聊了，我大半天坐在自己房裡看書，慢慢打發光陰。小妹倒是不知寂寞的滋味，她雖然十六歲，依然十足孩子氣，回家總約了鄰家的女孩上山爬樹，各處亂跳。

快到暑假時，父親突然告訴我們一個令人興奮的消息，說是他的一個已經在大學做了助教的學生，預備來此度假，因為父親有些著作需要他幫忙整理。他要我把客房收拾清潔，掃榻待客。我們這裡自從姑母走後，好久沒有客人來了，這怎麼能不令人興奮呢！

終於這位儀表堂堂的青年來了，父親為我們介紹後，便對他說：「雲生，你要像在家裡一樣，不要客氣，要什麼儘管對芳兒講好了。」他很禮貌的向我鞠著深躬，我手足無措，還禮不迭。

家裡有了客人，生活緊張起來了。對於和青年男子的交際，雖然二十八歲的我，仍然不太習慣。他很客氣的隨著小妹叫我芳姊；隨著我管蘭兒也叫小妹。可是小妹叫他雲哥，我不敢；小妹隨便出入他的居室，我也不敢。雖然他的居室差不多每天都是我去親自爲他打掃整理的，我祇乘他在父親書房或同父親妹妹出外散步時才進去，把蚊帳落下，蚊香點起，小心仔細的把零亂的書桌整理好。如果他一天待在自己房間沒出去的話，我便難爲情不進去了。其實，以往來這裡的客人，都是由我來招呼的，但是沒有一次使我像這次的不自然。我有時想，這個青年來得蹊蹺，父親並不需人幫助工作；同時姑媽今年春天對我的神情，……或許……我臉發熱，心通通的跳著。

小妹和雲哥已經很熟了，但是我仍然和他保持一段禮貌上的距離。這段距離我寧願保持著，因爲我相信在這中間有一種難以形容的遊絲在交織顫動著；因了它，使我享受到在默默中回味、心跳、臉紅，以及心靈被這些情感牽制得難以成眠的快樂。

有一天，當我又在他和父親出去散步的時候，走進他的居室。香菸和汗垢的氣味，從我爲他整理的枕褥散發出來，我心想，和爸爸一樣，獨身男子的房間總有一股怪味道，聞著這股怪味，我親切的微笑著。正在這時，他氣喘喘的跑回來了，他一進來看見我正爲他整理床鋪，便急忙過來按住我的手，奪去我手中的被，紅著臉說：「怎麼好麻煩你，芳姊，我自己來……」無意中接觸著一個青年男子的巨大而溫熱的手掌，我的臉又因了血液的衝擊而發熱了。他也好像怪自己的莽撞，難爲情的笑著說：「我來給老師找一張地圖……」我幫著他找，才把兩人間侷促的神情掩飾過去了。

第二天小妹跑來對我說：「雲哥說，他怪不好意思的，不知道原來每天是你替他打掃房屋，他一直以爲是老張。」我怕要被淘氣的小妹取笑，便一本正經的說：「你告訴雲哥不要客氣，咱們家來了客人，不都是我招呼嗎？」其實我這次的心情，顯然是跟往回不同的。

小妹成了我們的傳話筒，他要什麼東西，總是叫妹妹帶了話來：「雲哥問你借一隻毛筆。」「雲哥問你可有信紙？」「雲哥說你的字眞漂亮。」「雲哥說你是好姊姊。」他好像在妹妹那裡探聽了更多關於我的瑣事。

有一次我看見小妹和他立在院中花圃前談話，見我來便不說了，小妹對我侷促的笑著，我想她不定又和他在說我什麼。回到房裡，我便問小妹：「壞丫頭，你又在和雲哥說什麼來著？」她臉一紅跑了。她這張淘氣的小嘴，不要在雲哥面前把我說得太多呀，那是很難爲情的事。

我從小妹嘴裡，也知道他許多事。知道了他喜歡吃什麼菜，我便每天親自到離家很遠的市上去買來。夏天的早晨，路旁閃耀著露珠的青草，甜蜜而清香，每一條小路我都想走過，我不嫌路遠！我要告訴每一棵草，我是什麼心情。太陽曬得我出汗，並且告訴我：初戀是這樣溫暖。

父親忽然有一天向我們說：「爲什麼不帶雲生到燕兒山去看看呢？芳兒也去吧！明天正好我要到城裡去，放你們三個人一天假好了。」

第二天我們送走了父親後，我趕著預備了三份野餐，便一同去燕兒山。到了那塊因燕形的岩石而出名的半山上，我們坐下來休息用餐。在大自然下，我也不像在家裡那樣拘束不安了，和他有了比較自然的說笑。吃完以後，小妹又提議前進，因爲再向高處去的山上，開了各種山花，可以採回來插瓶。可是我已經無力前進了，讓他們倆去山上跑跑，我需要獨自安靜一會兒。

我一頭躺在草地上，張開了兩臂，任清風飽吻著我的全身。我好像躺在荷葉裡的一粒水珠，盪動著，輕漾著。我感覺天空之下任何東西都是美麗的。身邊不知名的野花親熱著我，每個從我上空經過的雲朵，都寄托了我的夢想。我想，父親和姑媽安排這青年到這裡來的用意安在，感激我的長輩，爲了我的幸福多方打算。唉！他會是我的終身伴侶，我將無限的依賴著他。我們將同室而居，我不知我會有幾個……，我是這樣的喜愛孩子！啊！我太放肆了！我怎麼可以想到這樣令人臉紅的事呢！

他們倆跑得脹紅了臉回來，妹妹從他手裡摘下兩朵紅花插在我的鬢邊，他擦著汗，微笑的在一旁看著，我不由得低下頭來，好像剛才那一段放肆的夢想會被他看透似的。

日子在快樂中逝去就要嫌短，每年感覺漫長的暑假，今年竟短了幾倍。在一天的午飯桌上，他告訴我們，明天就要回城裡去，因爲學校就要開學了。聽了這樣的話，祇有父親點點頭表示知道了，我雖低頭默默的吃著飯，心中卻思潮起伏。連平日多嘴的小妹，也難得沒有開口，我想大概這位青年客人給這一家人帶來不同的快樂，如今他要把快樂帶走了，當然使人人依依惜別。因爲他走後，這裡又會沉入如何的寂寞啊！

午飯以後，父親照例要睡個中覺，整棟房子靜悄悄的。我坐在桌前看書，希望把紛擾的心情壓制下去，可是無論如何做不到。

小妹忽然掀簾進來了，在我一旁坐下，露出她從未有過的一副沉默的神態。她手搭在我肩膀上說：

「芳姊，雲哥要走了！」

「哦——」我故意若無其事的回笑。

「兩個月過得眞快啊！」

我又沒有作聲。

「姊姊，你在想什麼？」

「看書呀！」

「姊姊，我問你，你說雲哥這個人好嗎？」她更靠近我。

「你問這話是什麼意思？」我瞪了她一眼。

「沒什麼，我就是想知道你對他的印象怎麼樣。」她把身子一扭，仍是那副矯情的樣子。

這小女孩又來打趣我嗎？或許是她轉達了雲哥的意思嗎？我想到這裡臉又熱起來，但仍裝出平靜的樣子說：「他總是個受大家歡迎的客人。」

妹妹聽了，噘起嘴說：「姊姊說話眞不痛快。」

是的，對於妹妹的一張沒遮攔的快嘴，難道我還敢痛痛快快的說出我正戀愛著他，我正爲離情所困擾嗎？

小妹沒頭沒腦的來了，又走了。我繼續把沉思放在字跡難認的書本上。

窗外忽然又傳來了腳步聲，「芳姊在午睡嗎？」是他輕敲著窗子在問。

「沒有，要什麼東西嗎？」我站起來表面平靜的這樣對他說，心卻喜悅的跳動著。

他走到門前，隔著竹簾吶吶的說：「芳姊，我——我要跟你談談，可以嗎？」我還不知道應當怎麼回答，他又說：「我在竹牆外等您，好嗎？」我點點頭，他去了。我坐回椅子上，發了一陣呆。

和我談談，我已經意會到那談談的意思，怎使我不心慌？我知道他要說的，要求的，我也知道幸福是什麼滋味。不過幸福也不要來得太早啊！那會使人忍受不住的。我將怎樣回答他所談的問題？他會怎樣向我說呢？時間是這樣的短促！

在竹牆外，我們無意的向前漫步著，他還沒有開口，已經緊張得在擦額上的汗珠，我也可以聽得出自己一顆鼓動的心聲。慢慢的，我們走到一株大樹蔭下，它足夠遮住我倆的熱情。他低下頭，結結巴巴的說：

「我要求芳姊一件事……」

——是什麼事，說啊！我的心要從喉嚨裡跳出來了。既然能開門見山的說，怎麼又半途接不上了呢！

「芳姊，您一定肯幫我們的忙……」

——幫「我們」的忙？

「就是——就是，求芳姊跟老師說，我跟小妹的事。」

跟小妹？……烏雲遮住了半個天！

「希望老師能答應我向小妹求婚，芳姊也許知道了。……」

我怕支持不住了，將肩頭靠在大樹幹上，我不知道他又喃喃的接著說了些什麼，祇這樣就夠了，夠了，夠了，我不住的點著頭。

我像是從半空上被扔了下來，向下沉，沉，沉，四外的空氣壓迫著我，我難以形容當時的感覺，我的思潮中祇有一個問題：他愛的竟是妹妹，怎麼能夠！她才十六歲！她還是個背著書包上學的小姑娘；她走路還要踢著路旁的小石子玩耍；她是個連自己的辮子都紮不好的女孩子！

但是我努力把紊亂的心潮壓制下來。我的教養使我愛我家庭中的每一個人，更愛我幼小的妹妹。

晚上，我仍如往日那樣機械的把父親的床鋪整理好，然後我輕輕走到父親面前，替我戀愛的人向妹妹求婚。父親一聽愣住了，「哦？——」他迷惘的看著我，我低下頭去。

父親在屋裡來回的踱著，我知道這出乎意外的求婚對象，使父親無措了。久久的沉默，我不得不再爲他們解釋說：

「他們倆都有這番意思了。」

父親似乎痛苦的望著我，說：「可是，芳兒……」

我不願父親再提到旁的，不等他老人家說下去，我便截住說：

「您就答應了吧！」

父親終於點點頭，我退出去，聽見父親在我背後長長的歎著氣。

老校長說到這裡停住了，眼睛望得遠遠的輕歎了口氣，從躺椅上站起來，又把照片上的人看看，隨後安詳的對我說：

「就是這樣，我的初戀，也是我最後一次的戀愛。我所戀愛的人娶了我的妹妹。初戀像雲霧在山峰的心上遊蕩，有無數美麗的幻象。在我初戀的夢幻中，是一個肥皂泡，吹開，漲大，飛去，終於破碎了。以後我沒有再戀愛過，因爲那美麗的初戀已夠我咀嚼一生；它雖沒有成功，但確曾使我沉溺在幸福裡過。我相信以後不會再有比這更動我心魄的愛情使我沉醉了，那麼我今生又有何再求呢？」她說到這裡停頓了，斜著頭微笑的望著我：「睡去吧，孩子，這個故事該夠滿足你對我的好奇心了吧？」

我從灰白頭髮的老校長手裡接過照片，拿到燈下仔細的看，我眞想把這幾個人看清楚了，但是照片發黃了，模糊不清，因爲那實在是太年久，太陳舊了的。

四十二年五月

血的故事

南腔北調的夏夜乘涼會，一直聊到月上中天，眾星閃眼，還沒有散去的意思。這個乘涼會是由幾家臭味相投的鄰居組成的。利用門外的一片廣場，不怕隔牆有耳，不愁江郎才盡，題材廣泛，漫無目的，像一股下了山的洪水，沖到哪兒，說到哪兒，反正說的話像洪水一樣不負責任。

這個乘涼會並不限於固定的會員，他們歡迎新血輪，所以常有臨時的客人來客串，扯一陣子就走，也常會給大家留下了雋永可頌的故事。

這一晚，乘涼會所以不忍驟散，便是被彭先生的故事迷住了。彭先生是二號張醫師的朋友，今晚他是專誠來拜訪張醫師的，卻被扣在乘涼會裡講故事。

開始是這樣的：

張醫師是一位血型的熱心研究者，這個頭銜並不是說張醫師在醫院裡做這部門的工作，他是在外科，只是因爲他最近常常鼓勵我們大家去驗血型，我們便認爲他是個對這方面有研究的醫師了。其實各個外科醫師對於「血」都是很在行的。張醫師給我們講了許多關於血型的常識，當然總離不開血能救人的重點。我們這些人沒有動過大手術的，所以對於血的一切不夠親切，就是當年劉太太生產時失血過多，也還不時興輸血。所以說來說去，也沒有人感到有立刻驗血型的必要。

今晚又談到了血型，因為有張醫師在場，總有血的故事擺出來。我們大家一致認為住在大城市裡，大街小巷都是外科醫院，慢性盲腸炎儘可以等到變急性再入院動手術不遲，血型一事更不必忙於一時。買活人血五百塊一百ＣＣ，只要有錢，還愁沒血？我們的乘涼會，無論對什麼事都有一套不合時宜的固執看法，只有關於驗血，張醫師本著他的立場未能和我們意見苟同。

這位彭先生也說，作為一個現代文明國家的國民，血型不可不驗，而且它或許還有意想不到的妙用也說不定呢！這時三號的錢太太開腔了：

「乾脆說罷，我就怕驗出是ＡＢ型的！」

錢太太所以這麼說，實在也該怪張醫師，在他給我們講血型和性格時，論到ＡＢ型，他曾這麼說：

「一般人最怕自己是ＡＢ型，因為ＡＢ型的人，是有Ａ型和Ｂ型的特性。這種人的性格最不容易判定，他也許外表光明磊落，活潑坦白，其實滿腹心事，對於事情猶豫不定，沒有自信心，遲鈍而消極，此型是不祥之兆也！」

我記得張醫師每講某型的特徵時，我們便互相選舉看哪人適合此型，講到AB型時，大家不好意思選舉了，因爲這是不祥之型。

雖然今晚張醫師一再說明，他那天講的血型與性格的話，可靠性只有百分之五十，何況錢太太也不一定準是AB型呀！但是無論如何，不能打破錢太太對自己血型的恐懼心理。

「我丈母娘就是AB型的。」

這時彭先生忽然冒出來這麼一句話，在他也許是安慰錢太太，表示AB型沒有什麼丟人，看！他丈母娘就是AB型的！但錢太太聽了竟「咯」的一聲笑了，而且在我耳邊輕聲說：

「這個人還管他丈母娘的血型呢！嘻！」

我本來沒有覺得彭先生的話可笑，倒是讓錢太太這麼一提醒，我笑了，仰天大笑。害得在座的男士們莫名其妙，女士們直打聽：「怎麼回事？怎麼回事？」

「沒什麼！沒什麼！」錢太太笑得眼裡淌出了淚，「彭先生，請還接著說您丈母娘的AB型吧！」

這一說，大家都笑了，女人咯咯咯，男人哈哈哈，睡在媽媽懷裡的寶寶們驚得直翻身。

「這可是『河邊兒娶媳婦兒，把王八逗樂了』！」老北京夏先生來句罵人的，大家還沒聽清楚呢，張醫師緊接著說：「提到彭先生的丈母娘，你們別笑，還有段戀愛悲喜劇呢！倒是可以請彭先生講給你們聽。老彭，講吧！」

「從何講起呀？」彭先生搔著頭皮。

「從認識你丈母娘那天講起！」有人開玩笑。

「我先認識的是丈母娘的女兒呀！」

「那麼就從丈母娘的女兒講起。」

「談起來，我認識現在是我的太太，當年的吳秀鸞小姐，是五年前的事了，」彭先生躺在藤椅上，仰著頭，噴著煙，從煙霧朦朧中看看天幕微笑著，他倒眞是在做甜蜜的回憶呢！「那時秀鸞在祕書室做打字員，天天夾著一包公事從我辦公桌的窗前經過。」

「你就拿眼盯著看！」有人插嘴。

「不錯，這位太太說得一點兒也不錯，我盯著她那會說話的眼睛，淘氣的鼻子，甜蜜的小嘴兒……」

「彭先生在作詩哪！」

「我那時的心情眞像一首詩，總想有一天認識她，把詩的心情說給她聽。」

「結果認識了沒有？」有人發愚問。

「人家現在已經是彭太太了，還問結果認識沒有，豈有此理！故事怎麼聽的？」

有人嗤之以鼻地回答。

「好啦，好啦，聽我說，當然我們有機會認識啦！而且耳鬢廝磨，日子一久——其實並不久——我們就墜入情網了，海誓山盟，互訂終身，熱帶的小姐，實在另有她們可愛之處。」

「台灣小姐？」聽了半天，到這時大家才知道是位台灣小姐。

彭先生點燃一根菸，剛要接著說，忽然四號的林太太抱著睡娃娃站起來說：「慢講，等我把孩子送回家，回頭來你再講。」可見已經入迷了一位。

「糟糕的就在秀鸞是台灣小姐。」彭先生果然等林太太回來就坐後才接著說。

「我知道，一定是聘金的問題。」

「喜餅的問題。」

「入贅的問題。」

多知多懂的聽眾胡亂猜。

彭先生悠然地吸著菸搖搖頭，全沒猜對。「是我那位老丈人的問題！」

「啊！」大家異口同聲表示驚異，彭先生確是會講故事，關子也賣得好。

「我那老丈人眞是鐵打的心腸，任憑秀鸞怎麼哀求，他就是不許他的女兒嫁給我。」

「爲什麼？」

「他認準了『外省郎』沒好的，大陸都有太太。就是沒太太，將來去了大陸把他女兒拐了走，天涯海角，上哪兒找人去？這種種不成理由的理由，雖然是爲了愛女心切，可是他女兒偏死心塌地地要嫁我。她跟她爸爸說，如果不答應，她寧可去死。老頭子也說，你要嫁給那小子，我只當你死了。結果秀鸞還是投進了我的懷抱。說起我們的婚禮，我眞覺得對不起秀鸞，結婚那天雖然很熱鬧，可是沒有一個女家的親友在場，結婚是一個女孩子一生最大的事，竟這樣令人遺憾，我不知道秀鸞背地裡哭了沒有，但是在我面前，她從無表現半點不愉快。」

「愛情偉大！偉大！」林先生以舞台語的腔調，深深地讚歎。

「但是關於你丈母娘的AB型呢？」這時錢太太又想起了這件事。

「對了！你丈母娘的AB型還沒交代出來呢！」

大家笑起來了，彭先生故作驚訝狀：

「咦？我故事才講了一半，關於丈母娘的血型，總要講的呀！」

「這才叫『胡同裡娶媳婦兒，口兒上熱鬧』！」夏先生半天沒言語了，他對於聽故事似乎興趣不濃厚，俏皮話可不少。

彭先生接著講：

「我是很樂觀的，我總以為我們結婚以後，一定會把我們翁婿之間的關係慢慢調整起來，人心是肉長的，而且我相信我也可以拿行動來感動他——我的老丈人。就拿秀鸞回娘家的事說吧，每次她要想她的爸爸媽媽什麼的，我都陪她回去，可是她進去，我卻在門口兒待著，等著，我想總有一天秀鸞會跑出來拉著我的手說：『進來，我爸爸叫你進來！』可是這樣一年下來，我的希望就始終沒實現，有時看秀鸞挺著大肚子進去，我眞他媽的想衝進去，跟我那位鐵石心腸的老丈人鬧一頓，問他還有人心沒有？就讓我風裡雨裡地站在門口！可是我到底心疼秀鸞忍住了。」

「眞慘！」林太太不勝唏噓。

「倒是我那丈母娘倒始終以弱者的地位同情我，有時乘著秀鸞跟她爸爸談話時，她偷偷出來塞給我兩塊點心什麼的。」

「就是那位AB型的丈母娘？」錢太太好像得了血迷症，但是彭先生沒理她，儘管說下去：

「有一天我獨個兒上了老丈人家的門兒嘍！」

「好大膽子！」有位先生插嘴。

「你以爲我上門找打架哪，我是報告秀鸞入院待產的消息去了。丈母娘開的門，見我單槍匹馬，神色驚惶，倒嚇了她一跳，『新媽逮雞？』她問我什麼事情。我兩手先做捧肚子狀，又指著台大醫院的方向。她明白了，叫我『燒蛋』，就是等等，她進去請示去了。我們這位丈母娘眞是賢妻良母兼弱者，她連到醫院看女兒都不敢做主，我們老丈人可眞叫王道呀！大胖兒子生下了，算是又見了一代，可是我們的情形並未見好轉，老丈人在他女兒面前連半個字都沒問過我。我們結婚時，他說只當他女兒死了，其實他女兒並沒死，倒像是我死了，世間根本沒有我彭某這個人似的！」

「迭格老泰山兇得來！」

「硬是要不得！」

聽故事的人都爲之起不平鳴。

「有一天，」這段回憶大概很有趣，彭先生自己也未語先笑了，「秀鸞匆匆忙忙回來了，我不由得問：『不是要在娘家住一個禮拜呢？』因爲我那老丈人疼外孫，要留結婚多住幾天——其實沒我老彭，他哪來白胖孫子抱？秀鸞當然巴不得多住幾天，怎麼才兩天就回來啦！我太太慌慌張張地說：『爸爸病了！』『病了？』

『走，我們一同到醫院去，已經決定動手術了。』她說著急得滿頭是汗。『什麼病呀？』我先打聽打聽。『腸子！腸子要剪斷！快走。』我想八成是急性盲腸炎之類的病吧！唉！我那鐵石心腸的老丈人呀！也有一天柔腸寸斷了！」

大家聽到這裡哄然大笑。林太太說：「彭先生，你解恨了，是不是？」

「不敢！」彭先生雖然這麼說，可是仍然可以看出他的輕鬆。「秀鸞是大女兒，弟弟妹妹還在上學不懂事，我當然義不容辭地要負起半子之勞的責任嘍！我和秀鸞去到醫院，她不許我進病房，派我在住院處給辦理入院手續，所以我老丈人和那病魔痛苦掙扎的尊相，我沒見到，倒是我丈母娘和秀鸞的苦相，我看夠了。我看她們娘兒倆眼淚汪汪地在商量什麼事，只聽見她們在翻台灣話，不斷地說著『會』呀『會』呀的發音，我問秀鸞到底是怎麼回事，她說爸爸需要輸血，會者，血也。但秀鸞是A型，小舅子是B型，丈母娘是AB型……」

「錢太太，聽見沒有？丈母娘AB型的典故開始出現了，請注意！」這時有人向錢太太開玩笑，又插入一陣子笑聲。

「他們都不能給病人輸血，買血要五百塊錢一百CC，共需三百CC一千五，秀鸞母女在著急。我腦子裡謄清了一下，把各種血型犯沖的分別，仔細想了想，他們既然都不能給病人輸血，那麼，我老丈人一定是——我對秀鸞說：『這樣說來，你爸爸是O血型的嘍?』秀巒點點頭。我說:『你何必著急呢!現成的大血人在這兒哪!我也是O型的呀!』秀巒一聽,驚喜之下,算是收住了眼淚,但只一剎那,她又緊鎖眉頭,朝我這身大排骨上下一打量,很心疼地小聲對我說:『三百CC,你怎麼能夠……?』」

「別肉麻!」這時有人向說故事的人開鬨了。

「眞的,她眞是有點捨不得我,可是我立刻挺直身子,用兩拳頭在胸脯上咚咚捶了幾下,說:『秀巒,眞正鐵打的,不是你爸爸,而是你丈夫!』因爲我們O血型的人是天生爲人服務的,我這幾年給人輸了不少次血了,《聖經》上早就給O血型的人下了定義了:『人子來,非以役人,乃役於人!』」

「好!」林先生好像置身在戲園子裡,竟怪聲叫好。

彭先生在好聲之下,更賣力氣地說:「我不是說過嗎?我要以行動表現態度,三百CC的鮮血,從我身上抽出來,一滴不剩地灌注到我老丈人的血管裡去了。奇妙得很,不知道是不是我的血在他身體裡作怪,第二天當我在病房外一旁伺候時,秀巒出來了:『進來,我爸爸叫你進來!』我盼了一年多的這句話終於實現了,可是這時我倒猶豫起來,趑趄不前,是秀巒一巴掌從身後把我推進去的。我懷著鬼胎走到床前,我那乾巴巴的老丈人,一把拉住我的手,『你金傢伙!你金傢伙!』:

……」

「你金傢伙？是日本話，還是罵人的話？」

「你金傢伙，台灣話『你眞正好』也！我們爺兒倆的手緊緊地握著，兩股熱血交流，一切嫌隙都被血般的事實給融化了！但是我必得感謝一個人——張醫師，」彭先生說到這裡，向張醫師擠了一下眼，微笑著，「是張醫師在前個月鼓勵我驗血型，我才知道我是O型的呀！所以，我更奉勸諸位，血型不可不驗，它實在有意想不到的妙用！」

故事講完了，大家覺得非常有趣，林先生首先說：「血型不可不驗，明天就去驗。張醫師，先給我掛個號。」

「對！對！血型不可不驗。」大家同聲地說。

林太太卻在咀嚼這個故事的餘味，她讚歎地說：「有這樣巧妙的事，眞有意思。」

「有道是無巧不成書呀！」張醫師在得意之餘說了這麼一句話，算是結束了今晚的夏夜乘涼會。

大家收拾起藤椅竹凳，準備回家去各尋好夢。我跟在眾人之後，打了一個呵欠，在月色朦朧中，看著那矮胖滑稽熱心於鼓勵大家驗血型的張醫師，正和太太喁喁私語，面帶笑容。我忽然想起今天這位彭先生莫非是張醫師請來的驗血型宣傳員麼？因爲他剛才在故事中說他幾年來曾爲人輸血多次，可又怎麼說兩個月前才由張醫師鑒定是O型血呢？但無論這個故事有什麼不合縫的地方，都無關緊要了，因爲我們這一群頑固分子是決定明天去驗血型了。想到這兒，我不禁仰頭望著向我擠眼的滿天星辰大笑起來！

四十六年

兩粒芝麻

聽說班上有兩個一向要好的同學已經有一個月不說話的事情以後，我便想起了那兩粒芝麻——冬日朝陽下，兩個小女孩在校園牆角邊埋下的那兩粒芝麻。

我決定把這故事講給孩子們聽，但是我怎麼講起呢？它祇不過是個人在情感上一段難忘的小事。既沒有曲折引人入勝的情節，也沒有完整的開始和結果。它是片斷的，尤其經過歲月的沖淡，其中無關緊要的，都了無痕跡，剩下那永銘於懷的，也僅代表了個人的心情或感想，卻不是故事。

在自由發揮意見的「說話」課上，我先在黑板上寫下了兩個大大的白粉筆字：友愛。我預備使今天的「說話」著重於友愛的發揮。

孩子們隨著我的筆劃輕輕的讀著，我回轉身來時，一眼便看見坐在前排的小淘氣張廣田了，他正裝著怪模樣兒，摟著鄰座的凌明，嘴裡輕喊著：「友愛呀！友愛呀！」

「這就是你的友愛？」我向張廣田開玩笑說。同學們看廣田的怪模樣兒，也都笑了。我們的「說話」課，是要在這樣輕鬆的氣氛中進行的。

名爲訓練孩子們的說話能力，最後終免不了是由我的故事來結束這一堂課的。孩子們在發揮了他們的說話慾後，輪到要求我了。「老師給我們講一個友愛的故事吧！」

「好，我來講，我有一個故事，這故事裡有兩粒芝麻。」我的故事既缺乏情節，我就得憑說話的本事把它弄得動聽些，這樣開頭可以先吸引他們的注意力。

「兩粒芝麻？兩粒芝麻的友愛？」他們好奇的睜大了眼。

「不錯，正是兩粒芝麻的友愛，」我停頓了一下，回憶著，年頭兒不少了。

「這兩粒芝麻被握在兩個小女孩的手裡。梳兩小辮子的那個高些瘦些；剪了齊耳短髮的，是個小胖子。她們倆的小手凍得又紅又僵，那兩粒芝麻眞虧她們的小手緊緊的握住。想想看，芝麻是多麼小的東西，一不小心掉在地上的話，連找都不好找呢！她們倆拿了這兩粒芝麻一直向校園的東牆角跑去。那天早晨雖然冷，太陽可眞好，它一直照到東牆的一排矮松下。她們選了中間最大的一棵松樹邊蹲下去，隨地揀一塊瓦片，掘著牆邊的土，掘下去大概有這麼三、四寸深的樣子，小辮子說：『可以了。』小胖子便停止工作。她們倆同時抬起頭來，互相微笑著，便把各人手裡的一粒芝麻扔到土洞裡，然後把掘開的土再鋪下去，兩粒芝麻便被埋到土裡了。……」

「她們是要種兩粒芝麻樹嗎？」有人插嘴。

「不過她們種的是熟芝麻。」我好像說書的人，賣個關子。

「熟芝麻？到底爲的什麼呀，老師快講！」孩子們急著想知道，在催我。

「每天早晨，她們的早點都是買一套燒餅油條來吃。那種燒餅眞香眞好吃，因爲上面有一層烤得半焦的芝麻。吃的時候，燒餅上的芝麻會撒下來，掉到桌子上，捨不得的人便會在吃完燒餅以後，還用食指蘸了口水——就這樣子，去黏桌上的剩芝麻吃。……」

孩子們聽到這裡，哄然大笑，因爲我表演了用食指黏芝麻粒吃的樣子。

「不要笑，聽我說。那天早晨她們埋下的就是從燒餅上掉下的兩粒芝麻。是小胖子先出的主意，她對小辮子說：『咱們永遠這樣要好，誰也不許跟誰吵架。』小辮子說：『如果吵了呢？』那時她們剛吃完燒餅，正在用手指頭黏桌上的芝麻粒兒吃，於是小胖子便說：『我們每人留下一粒芝麻，埋到土裡去，如果誰吵了架想絕交的話，誰就去把埋在土裡的芝麻挖出來！』『好！』小辮子立刻答應了。

「我要告訴你們，小胖子和小辮子所以有這樣的決心，因爲她們倆一直是好朋友，同了四年班，從來沒有打吵過，親姊妹也不會有這麼好吧？她們那年都剛剛十二歲，十二年的生命中，就能維持了三分之一——四年之久的友愛，實在是不容易啊！還有半年她們就要小學畢業了。但是當時她們並沒有想到這些，她們衹是覺得要好得很，覺得埋下兩粒芝麻更可以表明她們的友愛多麼堅固！她們這麼想就這麼做了，看這兩個孩子多麼天眞可愛。」

「老師！哪一個是你小時候？小辮子還是小胖子？」

呀！他們好機伶，就知道其中有一個是我，我也不隱瞞了，問他們：「你們猜猜看吧！」

「矮胖子，當然是那個剪了短頭髮的矮胖子。」

「爲什麼當然？」我也覺得有趣。

「因爲你現在還是這樣又矮又胖。」小淘氣說的，他說話總要引起哄堂大笑才得意。

「不，老師講過，她小時候梳辮子的。」有人提出抗議，這個學生的記性不壞，我笑了。

「老師，到底哪個是老師？」

「猜矮胖子的錯了。我現在雖然又矮又胖，小時候可不一定胖呀！人人都不知道他們會變成什麼樣子，我在小時候看見胖子就想笑，從來沒有想到有一天我會變成這樣子的。」這是實在話。

「那麼老師那時有多高？」他們喜歡問題外的話，我眞想告訴他們我那時到底有多高，所以我的眼向台下眾生看去，忽然發現坐在靠最左一行的葉明珠了，我立刻說：

「我想，我是像葉明珠那樣高的。」

「小胖子呢？」

「小胖子嘛，」我略一猶豫，「她當然像胡慧嘍！」坐在第三排的胡慧，一聽是她，難爲情地搗著臉笑了，其實胡慧並不怎樣胖。

「芝麻的故事完了嗎？老師再講一個。」

「誰說我講完了？是你們愛插嘴，問這問那的。」我說著走到講台下來。無論講書或說話，我都喜歡在學生的行列中來回走著，當我要他們注意我的話的時候，我以爲這樣更有效。而且我把故事改用第一人稱了，我說：

「這眞是一件不幸的事，有一天我們居然爲了一件事吵架不說話了，更使我難過的是，一直到畢業，我們都沒有講和。」

「老師，有沒有去挖那兩粒芝麻？」

「沒有，我們並沒有去挖那兩粒芝麻。」

「你們不是起誓講好的嗎？」

「所以我現在要說，我們並不是眞正的想絕交，要不然爲什麼不去挖芝麻呢？也就是說，友愛還一直存在我們倆的心中，所以沒有人提出這項要求。」

「如果挖了的話呢？」

「如果去挖的話，」我苦笑著，「又怎能找出那兩粒芝麻來呢！我們埋芝麻並不是爲了有一天要去挖才埋的。」

「那當初又何必埋它呢？」

「因爲——一切都爲了友愛。我還記得當我們舉行畢業典禮的時候，我忽然發覺小胖子的頭髮長長了。我眞想告訴她，這樣長的頭髮可以紮辮子了，因爲她也想像我一樣的梳兩條辮子，而且我也買了一副紅緞帶預備送給她，那副紅緞帶就在我的抽屜裡擱了好幾年。如果那天我追上去跟她說了話……」

「那夠多麼好！」孩子們爲我歎惜。

「眞的，那夠多麼好！可是更糟的是我們走出校門後，就沒有機會再見面，因爲我和她考取了不同的中學。再過不知多久，我就聽說她回到廣西原籍去了，從此天各一方，不要說見面，連消息都沒了呢！我還記得，我知道她回老家的消息以後，不由得跑到母校的校園牆角邊，那埋了兩粒芝麻的地方，站著發了半天呆。我很後悔，也非常想念她。這種心情，一直到現在都沒有改變，我從來沒有想念過一個人，像想念小胖子那麼厲害的！我也從來沒有後悔過一件事，像失去小胖子那麼後悔的！……」

「老師，你到底爲了什麼事跟小胖子不好的呢？」

「什麼事，我早就忘記了，我想那是一件很小的事，那件事不會比芝麻更大，我能記住芝麻而忘記那事，可見它比芝麻還小。」

我邊走邊說，在學生行列中慢踱著，我的故事也就到此爲止了。這時我正走到葉明珠的桌旁，停住了，我問她：

「葉明珠，你在想什麼？」

「啊！老師，沒有想什麼。」葉明珠本在發呆，聽我一叫，她慌忙回答，臉也紅了。

「你呢？胡慧！」我又轉過臉，衝著坐在第三排的那個。胡慧不答我的話，卻害羞的低下頭，因爲她知道了我的用意。

我把葉明珠和胡慧叫到講台前面而來，我使她們兩個人的右手在我兩手的夾疊中握住了，然後我說：

「還有一個月你們就畢業了，如果這時候我不爲你們講和，還有什麼更好的機會嗎？……今後你們無論到了什麼年紀，什麼地方，都不要忘記林老師曾給你們講過的關於兩粒芝麻和友愛的故事。」

教室中屏息無聲，我向台下望去，四十多個學生，差不多一百隻眼睛，都閃著友愛的光；他們也許不太懂這故事的眞義，但卻能領略。

四十五年三月二日

週記本

啊！當我能叫出母親這甜蜜的名字，而她能聽見的時候，誰能比我更幸福？

——貝多芬

我的聲音因爲興奮而緊張，因爲緊張便結巴起來了。我的興奮並不是因爲今天母姊會的出席人數比往次多，可以免得被校長挖苦，說我不會聯絡家長，每次祇出席小貓三隻、四隻。我的感情的激動，實在是因爲今天出席的家長中，有一位特殊的人物——丁薇薇的母親。

隨便座談會性質的母姊會，照例是要由老師先開話頭的，所以我便說話了：

「謝謝各位家長，犧牲了星期日的休假，來出席本班的母姊會。但是爲了孩子，我想大家是樂於參加的，能夠和諸位家長多聯繫，對於我的教學有許多好處，我們也可以彼此多了解孩子們。小孩子有時候是有濃厚的雙重人格的，他們在家庭時一副面孔，在學校時又一副面孔。就比如說吧，小孩子因爲利用學校和家庭間沒有聯繫，便常常會做出一些不誠實的事情來，家長和老師都巧妙地被蒙蔽著。所以今天我們大家不妨來談談關於小孩子誠實的問題……」

說到這裡，我又面向著丁薇薇的母親說：「丁太太，關於這點，您有什麼意見嗎？」

看起來，今天丁太太比我還要興奮，她今天是第一次來參加母姊會，和其他的各位家長也是第一次見面。她聽了我的話後，立刻很高興地站起來，環視眾人，並微笑地點點頭，那樣子就像她將有一大篇講演似的。果然她說：

「林老師問我對於小孩子誠實有什麼意見，我先不要談什麼意見，如果各位家長願意聽的話，我倒要把一段關於小女薇薇的故事講給各位知道。」

她說到這裡略一停頓，回過頭來望了我一下，我和她互作會心的微笑，然後她接下去說：「當一年以前……」

當一年以前，是的，我也記得那是一年以前……

「我不是對大家說過了嗎？寫週記是要把這一星期中你認為值得記住的一件事，誠實地寫下來。有些同學，我一看就知道是在亂寫，完全是胡說八道的事。也有的同學寫的並不是什麼值得記載的事情，總是寫什麼早上起來漱口、洗臉、吃點心，背書包上學等等，這都是每天例行的事，還算是值得特別寫下來的嗎？」說到這兒，我便從桌上的一大疊週記本裡，抽出了丁薇薇的，打開來接著向同學們說：「現在我選出一位同學週記寫得最好的，念給同學們聽：

星期二是我的九歲生日，使我最高興的事是媽媽買了許多禮物給我。一個圓圓厚厚的小蛋糕，上面點了九枝小紅蠟燭，還有一套毛衣和一雙皮鞋。當我放學回家一進門，媽媽就拿給我，我真是高興死了！我吹蠟燭的時候，爸爸在我左邊，媽媽在我右邊，他們都幫著我吹，我過了一個快樂的生日。

我再念另一天的，大家仔細聽：

老師告訴我們，旅行是對身體有益的，我們星期日便到圓山動物園去旅行了。爸爸、媽媽，和我。媽媽做了三份野餐，她真好，知道我愛吃蚵仔，便特別做了蚵仔炒蛋給我吃，爸爸愛吃饅頭夾火腿，她也做了。我們看見了許多動物，媽媽一樣樣講給我聽。我最愛看那兩頭大象，用長鼻子搖來搖去找食物，我用花生餵象吃。我們一直玩到下午四時才回家。」

「看，」我念完後，又很莊重地對同學們說：「一定要像這位同學一樣，把有趣味的，有價值的事情，誠實地寫下來。」

我一邊說著，不由得眼睛朝丁薇薇望去，她受了誇獎臉紅了，害羞地低下頭。

她原是個乖巧的小女學生。

從週記本裡，可以很清楚地看出學生家庭的情形，他們都毫不隱瞞地寫著。比如曾秀惠是養女、林一雄的爸爸是三輪車夫、胡慧的母親替人燒飯做女工，都是我從週記本裡知道的。班上的確有幾個苦孩子，也很有幾個幸福的孩子，丁薇薇便是幸福中的一個。尤其可以使別的孩子羨慕的，丁薇薇是獨生女兒，她的母親特別喜愛她，好像這位母親是專爲女兒而生存的。有一次薇薇在週記上便寫著她因爲生病請兩天假．她的媽媽整天陪著她。

我的媽媽真好，我病了不肯吃藥，媽媽便說，我祇有你這一個女兒，你如果病死了我要多傷心，乖乖吃藥吧！我便說：那麼我吃藥可以，媽媽不許離開我一步。媽媽說：我不，我不，我一定不。她便在床邊陪了我兩天兩夜。給我唱歌講故事。

她這麼有趣的寫著——要嬌慣壞了！我每次看了薇薇的週記便不由得這麼想，我認爲有機會見到薇薇的母親時，我一定要勸她不要太嬌慣了孩子，尤其是獨生孩子。……唉！這樣眞誠的母愛如果讓曾秀惠分享一些，夠多麼好！我想起那失去母親的小養女。

爲了家長和學校間的聯繫：本校各班成立了母姊會，每個月一次座談會，大家談談，交換交換意見。第一次的母姊會，我的班上出席的人便不夠踴躍，沒有見到薇薇的母親，也很使我失望。但是在第二天薇薇交上來的週記本中，我便看見那理由了：

媽媽突然病了，爸爸送她住到醫院去，所以星期日的母姊會，媽媽不能參加。我不能去醫院陪她，因為醫院不許小孩進去。我很難過，我生病媽媽陪我，媽媽生病我卻不能陪她。爸爸說媽媽很快就可以出院了，我也希望她趕快好。媽媽臨去時吩咐我，要用功讀書，沒有媽媽管，也應當好好讀書，我會聽她的話的。

爲了表示我對這位好母親的敬意，我在週記後面批了幾個字：「要永遠記住母親對你的愛。」

但是第二個月的母姊會，也還是沒有見到薇薇的母親，薇薇在她的週記上告訴了我：

爸爸和媽媽結婚整整十年了，他們早就商量好，結婚紀念日要到日月潭去旅行，我因為要上學，所以不能跟他們去。星期日的母姊會，媽媽又沒有參加。

我雖然一直沒有機會認識薇薇的母親，但是在她女兒的筆下，我早已如見其人，如聞其聲。我一翻開薇薇的週記本，就像看見一幅「甜蜜的家庭」的繪畫。這樣快樂的家庭，我總要去拜訪一次的，因爲關於母姊會的事，校長對我不太滿意，全校幾十班母姊會的成績，我這班是屬於「糟透了」的一個。我不得不活動四肢了。

費了一個整整的星期天，我跑了幾個向來不出席母姊會的學生家。我很高興終於能訪問到丁薇薇的家，更希望女主人此時正在家。開門的是女傭，我問：

「丁太太在家嗎？」

「丁太太？」女傭瞪大了眼。

「這裡不是姓丁的嗎？」我希望沒有找錯。

「祇有丁先生在家。」

「那麼……」我有些猶豫，這時從屋裡出來一個男人，他客氣地問，「我姓丁，你是找……？」

「啊……，我姓林，是丁薇薇的老師。」

「是林老師，啊……，啊……」他似乎不善言辭，但用手示意讓著我。

屋裡並沒有我理想的那麼整潔，是因爲星期日女主人不在家的緣故嗎？我隨口又問：「薇薇沒有在家嗎？」

「她到姑母家去玩了。」

我知道這位姑母，薇薇除了好媽媽以外，還有個好姑母，她的週記上也偶爾提起過。丁先生打破主客間的沉默。他說：

「孩子沒有母親，我又沒有時間管她，薇薇一定給老師添了不少麻煩吧？」

沒有母親？「啊……？」我差點兒叫出來，「啊，不，不，薇薇是班上最乖的學生了。」

沒有母親？我再想一遍丁先生剛說過的話和薇薇的週記本，……難道裡面有什麼差錯？我不是跑到另個姓丁的家裡來了？我滿心疑惑，便又問丁先生：

「丁薇薇是獨生女兒嗎？」

「是的，是的，如果孩子多一點，做母親的也許不至於……唉，沒有母親，就祇好拜託老師多管教了。」

又是沒有母親！「也許不至於」下面是什麼呢？是死了？走了？病了？但是薇薇週記本上的，卻是個活生生的母親呀，上個星期還跟丁先生到日月潭度錫婚去了呢！

但無論這裡面有什麼蹊蹺，我總應當說個來拜訪的理由的，祇是我卻不便說明我是來請女主人去參加下次的母姊會了，因爲我不願顯得我糊塗得這樣不清楚學生的家庭。我隨便講了一些關於薇薇在學校時的不關緊要的小毛病，希望家長也要隨時注意等話。

當我起身告辭時，忽然想起薇薇的週記本，爲了不忍心揭發它，於是我說：「丁先生，請不必對薇薇說我今天來過府上的事。」

從丁家出來的路上，我一直爲這事困擾，我想不出薇薇的母親到底是怎麼回事，週記本又是怎麼回事。我忽然想起去年畢業的我的一個學生劉海峰，他好像和薇薇是親戚，海峰的母親我也曾見過幾次。

好奇心使我忘記一整天奔跑的疲勞，我沒有回校，便又到劉家去，因爲我可以藉著看看海峰進入中學後的情形，探聽一下薇薇的家庭。所以當我見著劉氏夫婦後，說過海峰的情形，我便把話鋒轉了，我說：

「我剛從丁薇薇的家裡來。」

「啊，可憐的薇薇！」劉太太歎惜著。

我怎麼誘發劉太太說出薇薇家的情形才合適呢？我略一思索便說：

「是呀，薇薇沒有在家，她爸爸一個人在家，那樣子怪無聊的。」

劉太太不住的搖著頭說：「胡慧英實在太倔強了，結婚十年了，說走就走，還是一去不回頭。」她又問她的丈夫，「慧英走了快一年了吧？」

這叫胡慧英的女人，當然是薇薇的母親了，那麼她沒有死——像我所想像的；也沒有在家——像薇薇所寫的。她祇是走了，一個結婚已經十年的倔強的女人，扔下親生的女兒，一去就不回頭，祇是如此而已。慚愧！我一直到今天才知道薇薇的家庭情況，那不怪我，祇怪那活躍在週記本上的母親，是如此眞切！

「現在薇薇的母親呢？她在哪兒？」我試探地問。

「她一個人住在女青年會，自食其力固然可貴，但是這樣的日子過到何時爲止呢？」

「那麼！那位丁先生呢？」

「和慧英正是倔強的一對兒，誰都不肯向誰低頭。」劉太太聳著肩說。

回到宿舍裡，我激動得難以入眠，不由得又把薇薇的週記本翻開來讀，我一邊讀，一邊想，想到那間空洞的房間裡，一燈昏黃下，坐著一個伏案執筆的小女孩，她正以全力寫一部美麗的謊言，眞是一個小小的了不起的女作家！她創造了一個快樂的王國——家庭，她是那王國中幸福的小公主。我彷彿聽見小公主的心聲了：她低聲輕喚著母親，母親便像女神一樣地，姍姍而來……這是一本最美麗的創作，丁薇薇是作者，我是讀者。無論是當她寫著，或是我讀著，我們的眼前都會呈現了一幅美麗的圖畫——就是我管它叫做「甜蜜的家庭」的那幅圖畫。

我也想起了貝多芬在他的母親死去後所說的兩句話：

啊！當我能叫出母親這甜蜜的名字，而她能聽到的時候，誰比我更幸福？

住在女青年會的那個倔強的女人，她在冥冥中，難道聽不到小公主的心聲嗎？如果她眞聽不見的話，我怎樣使她聽到？

終於有一天，我坐在女青年會的會客室裡，面對著這個倔強的女人了。我的來臨，當然使她略感驚異，我說：

「我是丁薇薇的老師。丁……不，胡女士。」

「啊，我希望不是薇薇給你添了麻煩。」

我想起那天會見薇薇的爸爸，跟我說的第一句話，兩個人倒是一樣的口氣。我連忙說：「不，不，薇薇是個好學生。祇是——」

「如果有什麼事，你儘可以去找她的爸爸。我們的事你當然知道。」她爽急的說話態度，倒是合乎她離開家庭的作風。

「是的，我知道一些，不過我以爲也許有些事情，更需要母親的……」

「啊，那倒不一定，薇薇的父親是很疼愛薇薇的，他都可以辦得到，你祇管去找他。」她不聽我說完，也不知道我要說什麼，她說話祇管搶上風，我想當他們夫妻吵嘴的時候，針鋒相對，她不會輸給他的。「你要薇薇的地址嗎？」

「不，不要，我並不要找薇薇的爸爸，他們的地址我也知道，你聽我說。」我也不得不帶著強迫的口氣，否則她又要截住我的話了。我一邊說著，便從手提包裡拿出薇薇一年來的週記本，把它放到她的面前。「我祇是請你看看這個，並且希望知道你的觀感。」

「週——記……本？」她懷疑地慢慢念著。

「你一定要仔細的，忍耐的，逐頁看下去。錯字有不少，故事卻有趣！」

我不知道當這位倔強的女人讀著她女兒的創作時，臉上起了什麼樣的變化，因爲隨著她翻開第一頁，我就站起身走到窗前去。我看窗外藍天如洗，心中也平靜得無所思念。這樣一直不知待了多久，我才回過身來。

週記本該是早被看完了，她一手支頤正沉思著，直到我走近她跟前，她才驚醒般抬起頭來。我不會形容那臉；說它變成什麼顏色或什麼樣子了，在她握住我的手時，我祇感覺她手掌汗熱，她激動的說：「我竟不知道我的小女兒是這樣的……」

「是這樣的不誠實！」這回我搶接著說。

「啊，不！是這樣地需要她的母親。」

我的手被緊握著。……

……我的手被緊握著，並被拉到講台前來。

「……我竟不知道一個小孩子是這樣的需要她的母親，需要一個完整的家庭！這便是小女薇薇的一段不誠實的故事。同時，」丁太太說到這裡，又側過頭去，我隨著也轉過頭去看，啊，站在教室窗外的，是薇薇和她的爸爸，正向我點頭微笑。

「同時，我們還要感謝林老師這次的……」

「啊不，不，不，我祇是……」

我祇是更結巴了。

四十五年五月二日

玫瑰

被擠在社會新聞版的一個不引人注目的角落裡，酒女玫瑰自殺是屬於一條無關緊要的新聞。它祇有豆腐干那麼大，正像她生前所住的處於這大城市一角的那條陋巷，暗淡而無光彩，它今天被比它更認爲重要的一條大新聞奪去了在這社會上的地位。一個酒女的自殺，不過是屬於個人的利害；六個強盜白晝行劫，才是有關整個社會的治安。所以六個搶劫犯同時被判死刑的消息，自然要高於一個酒女的死了。

然而我的眼睛卻落在這條小新聞上，久久未移，它在我的心中縈繞，使我感覺到悶氣，我想掙脫這份感情的鎖枷，便站起來，走向窗前去。

拉開窗帘，外面很暗了，冬季的雨日，光明總是迅速地離去，斜雨、冷風，向我的臉上吹來。嘩啦啦，我也聽見窗外芭蕉被雨打的聲音。不，有時候它不被雨打，也能發出這種聲音來，有一個小孩從這花叢中經過，她每次總用手去亂弄那幾株芭蕉，使它們發出聲音，以便驚醒坐在窗前改課業的林老師。

這思念不由得使我探首窗外，其實在這暗淡的黃昏裡，我能在芭蕉葉下找到什麼。倒是我猛然抬頭，又看見對面人家的那株高大的聖誕紅了，聖誕節已經過去一個月，那枝幹上的葉子也已落光，幾片殘紅在支持著它的枝幹，在那灰黑的天空下，眞是單調。

「老師，像豆芽菜不？」我記起那個小孩曾向我這樣形容過光禿的聖誕紅枝子來著。

我住在這間屋子很久，整整六個年頭，我改著學生的作業，認眞的工作著，有一份很濃厚的教育者的抱負，我關心這一群幼小者，常常忘掉爲他們身心所受的苦楚。我也發著奇想，想在他們之中找出一朵奇葩來，我要灌溉它，培植它，然後向社會貢獻出我的成績來。所以，我記得很清楚……

在那炎熱的午後，一切都顯得萎靡不振，人們懶洋洋地躲在亭子腳乘涼，我卻起勁地在中山北路壓馬路，我的汗被毒日所曝曬，發出酸臭的氣味，可是我仍找不到中山北路三段一百五十巷在什麼地方，我試著翻回頭去找二段，一段，以及類似的數目，耗費了整整的一個星期日的下午，我終於帶著落日的涼風回校了。

我很氣憤，當我從教務處的學生住址冊上發現曾秀惠的家是住在萬華的桂林街時。

「這個會唱歌的女孩子也很會撒謊。」我對教務主任說。

「但是她爲什麼對你撒這種慌，也許新搬了家，記不清地址名。」

「但願如此。但是五年級的學生了，不應當這麼糊塗。」

第二天上第一堂，我就把曾秀惠叫起來：

「你是說你住在中山北路三段一百五十巷六號嗎？」

「是。」還有台灣口音，「是」是用「四」的發音說出來的。

「沒有說錯？」

她躊躇了一下，搖搖頭，表示沒有錯。

「但是，」說謊的孩子，我要在眾同學的面前揭發出來，「我昨天做『家庭訪問』輪到你家，卻找不到這地址！」

跟著曾秀惠哭了，我讓她站著上一堂課，懲罰這撒謊的孩子。她既然常常遲到，當然怕家庭訪問，她也許有一位容易光火的父親也說不定。

我很認眞，下一個星期日，我犧牲了早場電影，仍決定到曾公館走一趟，從穿著看來，這孩子不是出身窮苦人家的。星期六臨下課時，我先通知秀惠，用溫和的口氣，一個星期下來，她可愛的歌聲和清秀的筆記，早使我心軟了。

「是桂林街八十巷四十三號，這回沒有錯了吧？」

秀惠低下頭，她害羞了，眼裡有淚光。我想是那天我給她的當眾懲罰太兇了，應當安慰安慰她，所以我開玩笑又拍拍她的肩膀說：「老師不會吃掉你家裡的人，放心吧！」

我這回很順利地找到了，剛一拍門，曾秀惠就出來了，那情形像是一直在門裡等著的。學生們聽說老師要訪問家庭，向來就是這麼緊張的。

「媽媽在嗎？」我問。

秀惠努力地點著頭，往裡面跑著叫：「阿姆！阿姆！林老師來了！」

隨著那聲音是一陣皮鞋響，走出來一位年輕的女郎，向我笑臉相迎，客氣地請我坐。這位年輕的女郎是秀惠的母親嗎？我疑慮著，不敢貿然稱呼，我看看站在一旁的秀惠，希望她能說明，但是她祇傻呵呵地站著。年輕的女郎國語很好，也很會說話：「秀惠不用功，老師請多指教！」

聽那口氣是個做母親的口氣，起碼是她的監護者。我說秀惠是個聰明孩子，有響亮的歌喉，寫一筆秀麗的字，祇是……我最後把此來的目的告訴這位家長：秀惠常常遲到，我希望知道那原因。

「就應當早早起來。」她沒有說明原因，可是嚴肅地把臉轉向秀惠，申斥她。

向來見了學生家長要談一些生活情況的，但是我看秀惠家的情形，進進出出的人，這位年輕的家長，以及這周圍的氣氛，我好像不便多問什麼，便草草結束了這次訪問，這是一次最簡單的家庭訪問。

此後過了不久，我有一個機會和秀惠單獨談話，我毫不經心地問，那天那位年輕的女郎是她的什麼人。

「我的母親。」

「生你的母親？」

「不是，是養母。」

是養母，那也奇怪的，年紀輕輕的，就收養了這麼一個大女兒。我於是又問：

「爸爸呢？」

「嗯……」她猶豫著，最後終於說了：「我沒有爸爸。」

「那麼，」我覺得很難問，一時說不出，結果還是問下去：「那麼你的母親在哪裡做事？」

「她在夜百合。」她低下了頭，輕輕地好像吁了口氣，「我的祖母很厲害，祇有三十五歲。」

秀惠更告訴我，她還有一位祇有五十歲的曾祖母，她們四代同堂都是養母女的關係，養母常被祖母打嘴巴，如果她不肯去夜百合的話，她的養母祇有十九歲，比她大八歲。

無限的同情，從我的心底升起，我實在應當早知道這小小女孩的不幸遭遇，我撫摸著她的秀髮說：

「人生的遭遇儘管不同，但努力讀書，將來總有你光明的前途。懂嗎？秀惠！」她展開了笑容，我知道我的熱誠與同情，使她感到安慰也說不定。我又說：「看班上的林一雄嗎？他爸爸踏三輪車，胡慧的媽媽給人燒飯做女工，一點兒也不丟人。職業並不能代表人格。」我基於同情，越說越深了，也不管她聽懂了沒有。

但是曾秀惠究竟和林一雄，和胡慧不能比，我可以忍心看林一雄走上他爸爸的路子或者胡慧走上她媽媽的路子，卻不忍心看曾秀惠有一天也在夜百合陪酒，然而我知道唯有秀惠最有危險走上這條路，她是專預備走這條路，而被人收爲養女的啊！台灣的養女制度！我深深地歎惜著。

無論秀惠怎樣談論著她的家事，我卻從來不敢做深一步的探問，問她將來是否也會像她的養母一樣生活。我覺得不應當在她那純潔的心靈上投下一塊不潔的污跡，讓她幻想著美麗的前途才對，甚至於我要幫她朝著理想的路上走。

但是我也應當知道這並不是簡單的事，當她的祖母因色衰而不能博得男人的歡心時，她的養母登場了，她們代代以此爲生，這種生活可以使一個女人變得自私和狠毒，當秀惠的養母該走下坡的時候，秀惠正是含苞待放啊！

儘管我的班上有許多不正常家庭的子弟，但沒有一個比秀惠更使我縈迴於心的。在女人不幸的遭遇中，再沒有比靠男人蹧踐而生活的，更令人不甘了。爲了秀惠的前途，時常燃燒起我心中的一股正義之火，雖然我從來沒有問起秀惠關於她的前途的事。一直到兩年過去，秀惠要畢業了，我才在調查升學人數時問起：

「秀惠，你預備升中學嗎？」

「當然，老師。」

「你的母親，不，你的祖母答應了？」我已經知道這家庭是祖母的天下，雖然現在陪酒賺男人錢的是她的母親。

「祖母說，現在的女孩子應當多讀書。」

「啊！眞的？」我聽了當然高興，我以爲她的祖母一定看穿了這種生活，再不忍心再叫她的孫女也走這條路，這是很對的，我爲秀惠慶幸，更爲台灣養女制度慶幸，如果人人都肯這麼做的話。

「你將要努力於哪一門？」我問這話似嫌過早，但是她卻應聲而答：

「聲樂。老師。」

不錯，那優美的歌喉早已聞名全校，同樂會上人們都不信一個小女孩會唱出那麼成熟的聲調來，她說她常聽母親唱，而且她不唱小孩子的歌，學的都是些流行歌曲，雖嫌庸俗，但終因她美麗的歌喉被原諒了。

秀惠已經進了中學，本不在我的轄管下了，但是一份互相了解的感情，沒有因爲實際的分離而隔閡。她經常回母校找我，在這窗前的芭蕉樹前，我看她一年年的長大，她像一隻黃鶯，時時在唱，我鼓勵她，爲培養她的美的人生，我不斷把世界名著送進她的書包裡，我聽她唱，聽她訴說。

有時我忙於批改課業，她便站在窗外輕聲地唱，在芭蕉樹前輕舞著。有時她唱到我的面前來，伏在我的桌上，停止了歌聲，滿臉淚痕：

「林老師，有一天我會去陪酒，站在一邊唱給客人聽嗎？」

「傻孩子，神經過敏，完全在亂想！」我截住她。

她也常常來信，天眞地寫著她的中學老師的笑話，寫著我給她看的書籍後的感想，寫著她的生活的發展。有一天她說祖母爲她請了專教歌唱的老師。「老師！我的祖母爲什麼爲我下這麼大本錢？你明白嗎？好，我不說了，我說了您就認爲我神經病。反正我愛唱，我儘管唱下去就是了。」她在信中這麼寫著，我看了祇覺得滿心不舒服，我希望那眞是祖母的一片慈愛之心，但是陋巷中的這個人家啊！我也不敢相信她的祖母會有眞正高潔的思想。

「我發瘋的愛著我的歌唱，我歌唱，忘掉痛苦。」

「當我心中感到有了什麼害怕時，我唱歌，並且想著老師——我想飛到您的身邊，向您痛哭。」

屢次地，秀惠把悲傷的文字寄給我，我的鼓勵簡直敵不過她的哀傷。我甚至問她，需要我幫助她什麼。

「您多多鼓勵我，就是給我的最大幫助，給我增加一分勇氣，面對這萬惡的世界！」

我的孩子！秀惠才滿十五歲，便對這世界言萬惡是否嫌早了些呢！我讀著她的秀麗的字所寫出不應當是十五歲的初中二年級學生的信，不覺淚眼模糊。我想她一定是將遭遇到什麼了，我記得收到這封信的前一個星期，秀惠還到學校來看我，從操場那邊跑過來的時候，發育成熟的胸部因呼吸急促而顫動著，當她跑到我面前時，我不由得拉著她的手愛撫著。「我天天在看你長大！」我說。

她雖然衹十五歲，可是熱帶的早熟，看上去她成人了，不再是那撒嬌的小女孩了。那麼她的祖母可能……想到這兒，我的心萬分沉重，急速給她回一封信，我說：「這世界並不可怕，祇要你勇於面對它，必要時反抗它，直到你的勝利。」

此後的一段時期，沒有了秀惠的消息，這是常有的事，常有時兩三個月不見她，她會忙著考試呀，旅行呀，忙這忙那呀，她總會寫信告訴我的。

有一天秀惠的信來了，秀麗的字跡帶著顫抖的聲音，每一句打入我的心坎：

老師：一個叫做玫瑰的姑娘，終於坐在青鳥酒樓陪著客人喝酒唱歌了。老師！您不要鄙夷這個沒出息的學生，有一段日子我想到怎樣反抗，但是環境不容易，我暫時掉入泥淖中了。兩三年來，祖母的熱心培養，使我受了較高的教育和練習歌唱，下了大的本錢，可以撈回大的利息，這是她真正的意思。老師，我祇要您仍要常常鼓勵我。

我捧著這封信，想著幾個月前從操場上跑過來的那個女學生。我應當緊緊地記住她那天的打扮、姿態，對於秀惠，我所喜愛的學生，那是可紀念的一個裝束。在那以後，我如果再見到秀惠，不，應當是玫瑰，就是一個新的軀殼了。但我了解她，在那軀殼中的靈魂是不易變的。所以我給她寫了第一封她轉變生活後的信，我在信裡說：

無論你陪客人喝多少酒，你的靈魂總是純潔的！

在沒人知道的我的生日，我寂寞地改著學生作業，預備中午一個人到河北人開的小店吃一碗麵，給自己添添壽。這時工友拿來了一束荷花和一大盒壽糕，還有一封信，秀惠寫來的：

老師，我記得您說過，荷花的生日也是您的生日，我是無意中查到這個日子的。送上了我的祝意，但是我自己卻沒有來，舊日的生活會占據了我整個的心情，並且惡化，所以我不願看見母校。

我咬著秀惠送來的壽糕當午飯，翻開了照相簿，找到她在小學畢業的相片，我注目而視，心中充滿了對人世的迷茫，嚥下去的蛋糕，堵塞著，一閉眼，眼淚便流下來了。

我也一直沒有企圖和秀惠見面，我想像不出改變了生活以後的秀惠是什麼樣子，我也不願去仔細琢磨。我一想到秀惠，總是那柔美的短髮的女孩子站在我的面前。

我們以書信聯繫著彼此的距離，我時常鼓勵她，並想以精神的力量拯救她拔出泥淖。她的信有時很悲觀，有一次她在信中說：

如果我死了，您要寫一篇養女的故事，告訴人們，生生世世不要做人家的養女。

我漸漸感覺到那秀麗筆跡下的文字是越來越進步了，但那悲觀的成分也是正比例的進展著。我有些後悔給了她太多的書讀，使她對於是非的辨別太清楚；給了她太多沒有辦法實現的鼓勵，這鼓勵對她又有何益？倒不如糊裡糊塗地做著物質享受的奴隸，這樣不就可以減少痛苦嗎？我不應當時時刺激她，而又沒有辦法實際助她拔出泥足。

我是因了覺悟而漸漸使信訊疏遠，我在信上不再做積極性的刺激了。我有時淡淡地而也正經地寫著：

你也不要太悲觀，客人中也不是全壞的，遇到好的你可以跟他結婚，幸福的家庭生活對你也並非絕望。

有一陣子我們沒有通信。我在一位熟悉酒女情形的族叔口裡，聽到秀惠的消息。族叔說：

「你那學生呀，眞了不起，是青鳥的第一號台柱了，她眞會喝酒，和男人耍起來也夠瞧的。聽說已經賺下了兩棟房子囉！」

我聽見一方面覺得難過，一方面又覺釋然。想到那樣一個純美的女孩子，怎麼會落得酒樓陪客，任人蹂躪。但想到她終能適應這種生活，未嘗不是她的福氣。生活會慢慢習慣的，金錢也可以收買靈魂，我這麼想。

實際上，青鳥酒樓是我常經過的地方，我每次看完電影等公共汽車回校時，便是站在青鳥的對面。悠揚的音樂，隱隱可以聽到的歌聲，加上雜亂的豁拳聲，和人影幢幢的樓窗，等車的人似乎不會寂寞或焦躁於二十分鐘才駛過來的車輛。每一次仰頭望著對面樓窗，都使我與別的等車的人有異樣的感覺；想到樓上有一個善歌善飲的女郎和我的關係，想到我給她的教育，想到她那憂傷的句子，想到歌聲淚痕下的純潔靈魂，想到我們始終未見面，而我竟站得離她這麼近，她推開樓窗就可以看到我……

許久沒有接到秀惠的信，我的心反而平靜了許多，再沒有什麼痛苦的呼聲壓迫我了。對整個教育來講，我是失敗的，我既未能以教育的力量去拯救她，又何必灌輸給她那樣多對人的是非認識？

她今年十七歲了，我忽然發著奇想，可以領一個小養女了，湊成五世同堂的養女之家，把那小女孩送到我的學校來吧，我不會再那樣教育她的了，請放心吧！

聖誕節前，我收到秀惠寄來的一張講究的聖誕卡，是特製的，上面沒有天竺豆或聖誕花，卻意外的畫著一束玫瑰；我發現那畫圖的人疏忽了，竟忘記在玫瑰枝上畫刺，我心裡念著：啊，沒有刺的玫瑰是會被人隨便摘去的！

正當我認爲秀惠選擇了她所投降的道路是不錯的，慚愧於我的教育是多餘時，風雨交加的黃昏，使我讀到這條不引人注意的新聞，而新聞上祇簡單的說，一個十七歲的叫做玫瑰的酒女因厭世而自殺，在她的身旁扔著一張似乎算是遺書的字條，那上面寫著：「無論我陪客人喝多少酒，我的靈魂是純潔的。」

雨停了，風卻吹著芭蕉嘩嘩響，我關上窗，奔到床鋪上躺下去，我沒有開燈，祇啜泣著。

四十五年二月一日

蘿蔔乾的滋味

林老師：

請您原諒一個終日忙於家事的主婦，她以這封信代替了本應親往拜訪的禮貌。

寫信的動機是由於小兒振亞飯盒裡的一塊蘿蔔乾，我簡單的講給您聽。

這件事發生已有多久，我不知道，我發現則才有三天。三天前，我初次發現振亞帶回的飯盒中有一塊蘿蔔乾時，並未驚奇，我以爲那是午飯時同學們互嘗菜味所交換來的。但當第二天飯盒的殘羹中又是乾巴巴的蘿蔔乾時，不免使我懷疑，因而仔細看了兩眼，這才發現墊在蘿蔔乾底下的，是一小堆粗糙的在來米剩飯，我們家向來是吃經過加工輾揀的蓬萊米的，因此我知道這裡面一定有了緣故。同時我又發現這個雖然相同的鋁製飯盒，究竟還有不同之處；我們的飯盒，盒蓋邊沿曾被我在洗刷時不愼壓凹了一小處。這個飯盒，連同裡面的飯菜，顯然不是振亞早晨所帶去的。但是我沒有對振亞說什麼。第三天，就是昨天早上，我裝進飯盒裡的有一塊炸排骨肉，我有意在等待這事的發展。果然振亞帶回的飯盒中，沒有啃剩的骨頭，卻換來了——仍是乾癟的蘿蔔乾。而且奇怪的是，我們自己的飯盒又換回來了。

我相信這不是偶然的錯誤，而是有計畫的策謀，有人在幹著偷天換日的勾當，這是出於某一個人的行動，他所做所爲，無非是想攫取我兒的營養，怎不教做母親的我痛心！

林老師！您或許知道，我們並非富有之家，我的丈夫靠菲薄的薪給養活一家，因此在每天給他們父子倆的飯盒裡，無論裝入的是一塊排骨肉、一個雞蛋，或者一隻雞腿，我都會想到來處不易。它是爲了丈夫的辛勤，兒子的發育，我的節儉，才勉強做到的。所以我不客氣地跟您說，我們是禁不起這樣被人偷取的。我們不是富有人家，我再對您說一遍。

我也知道，在您的教育之下，是不可能使人相信有這類的事發生的，但事實擺在這裡，又有什麼辦法。爲了我兒的營養，我只好求您費費心，查明是哪個偷天換日的聰明孩子幹的？蘿蔔乾偶然吃一次是香的，但是天天吃，頓頓吃，您想想是什麼滋味？怪不得那個孩子想出這樣巧妙的辦法，那臭烘烘的蘿蔔乾味道，他早就吃夠了！

爲了使您一個調查的方便，我更告訴您，今天早上當著振亞的面，我在飯盒裡裝進了一個大肉丸子，您可以看看，到底是哪個今天要倒楣的孩子在吃這個大肉丸子。

敬祝

教安

朱夏茘媛上

朱太太：

工友送進您的來信時，我剛在飯廳裡坐定，四十多個孩子正窸窸窣窣的吃著各人的午飯，我卻停箸展讀來函。我以懷疑的心情打開您的信，卻以快樂的心情讀完它，現在我以無比輕鬆的心情寫信給您，同時告訴您，我捉到那「賊」了，您所說的，那個「偷天換日」的聰明孩子被我捉到了。我納悶了三天不能猜透的事情，因爲您的來信而獲解決了，怎不教我輕鬆愉快呢！就是在我執筆給您寫信的這當時，激動的情緒仍持續著，因爲有一張眞摯可愛的小面龐深印於我的心版上，爲了這些純眞的孩子，我也願意終生獻身於兒童教育！

我先告訴您三天來的情形，再講我怎樣捉到那小賊。這裡吃飯的情形您或許早已知道，孩子們每天早晨到學校後，便先把各人的飯盒送到廚房去，交給大師傅老趟，他便放在大蒸籠裡。午間各人到廚房去取了蒸熱的飯盒，廚房旁邊是一間大飯廳，大家都在那裡吃午飯。我不例外，一向是陪著孩子們一同吃的。

三天前的午飯時，當我正舉箸，劉毅軍站起來了，他說：「老師，有人拿錯了我的飯盒，這……這不是我的。」我抬頭望去，可不是，飯盒打開來，橫躺在熱騰騰的蓬萊白米飯上的，是一隻香噴噴的紅燒雞腿，我知道那確不會是劉毅軍的。我便對同學們說：「是誰拿錯了飯盒？是誰帶了有雞腿的飯盒？」

等了幾分鐘，也沒有人來認換，也難怪，飯盒的大小樣式幾乎都是相同的，而且家裡給裝了什麼菜，孩子們也知道的不多。既然沒有人來認領，祇好叫劉毅軍吃了再說。毅軍吃著雞腿津津有味，十分高興，不是我看不起劉毅軍，無父的孤兒，靠寡母穿針引線替人縫補度日，如果不是人家拿錯了，他哪摸著雞腿吃呀！

可是第二天，同樣的情形又發生了，我也不免奇怪，這是怎麼一回事？當劉毅軍打開飯盒，又驚奇地喊著有人拿錯了的時候，同學們都停下筷子圍向毅軍的面前看，今天換了，是一塊炸排骨肉。我問毅軍自己帶的是什麼菜，他很難爲情的說：「祇有一些蘿蔔乾，老師！」

我向同學們說：「看看誰拿錯了飯盒，炸排骨換蘿蔔乾可不上算！」同學們聽了嘩然大笑，卻仍無人來認領。我雖也覺有趣好笑，卻不免納悶起來。劉毅軍也以想不通的樣子吃下了這頓排骨飯。

今天，當我們正爲那個像小皮球大的肉丸驚疑時，您的信來了。我在未打開信時曾對毅軍玩笑說：「這是上帝的意旨，你吃吧！」因爲他和他的母親都是基督徒。是宗教的信仰，才使他們安於吃蘿蔔乾的命運吧？

說到蘿蔔乾，我實在還應當把一些情形說給您聽：劉毅軍的母親，在我去做家庭訪問的時候，她並不避窮，很坦白地對我說，一日三餐的籌措，是如何的艱難，所以，她要我善爲教育她的獨子毅軍。在這一點，毅軍倒從未使人失望。當毅軍的母親和我暢談家常的時間，她家的院子裡，正晾著一籃籃的蘿蔔乾。指著那些被塵土吹滿的蘿蔔片，她對我說：「老師您看，我晾了這許多蘿蔔，可也不是花錢買來的，附近有一家菜園，種了許多蘿蔔，當人家收成拔蘿蔔的時候，我就趕了去，把人家扔掉不要的蘿蔔頭，蘿蔔根，壞了心的，脫了皮的，統統拾了來。我再挑揀一遍，曬曬醃醃，可以夠我們娘兒倆吃些日子的。」

朱太太，您問我蘿蔔乾吃多了是什麼滋味，我想毅軍的母親吃著它的時候，當覺其味無限辛酸。就是毅軍，在他長大以後，回憶起他嚼蘿蔔乾的童年時代，也該有不少的感觸。如果有一天，他能讀到明朝三峰主人爲他的朋友洪自誠所著《菜根譚》寫的序中「……譚以菜根名，固自清苦歷練中來，亦自栽培灌溉裡得，其顚頓風波，備嘗險阻可想……」這幾句話時，他會覺出，當年所嚼的蘿蔔乾，實有一種「眞味」。

我跟您扯得太遠了，讓我們再回到飯廳裡去。我讀完您的信，停箸良久不能自已。我草草吃完飯，順著飯廳巡視一番。走到那個圓圓紅紅小臉蛋兒的孩子面前，我停下了，這孩子抬頭看見了我，有點做「賊」心虛，急忙用筷子把飯盒裡的蘿蔔乾塞到在來米飯底下。我卻在他旁邊的空位子上坐下來，側著頭在他耳旁悄聲問說：「蘿蔔乾的滋味怎麼樣？」他先是一驚，隨後竟裝著若無其事地回答我：「很甜。老師！」

很甜！我站起身來，回味著他這句話，想著您的來信，不由得抿嘴笑著走出飯廳，可是立刻後面響起了小碎跑步聲，有人跟出來了，「林老師！」我回頭站定，是小紅圓臉，他氣喘喘的跑到我面前，「老師不要講出去吧，劉毅軍的家裡實在很窮，他天天吃白飯配蘿蔔乾，所以……」

我的個子已經很矮，站在我面前的這個小男孩還比我低半頭！他的胸襟卻是如此遼闊無邊！

寫到這兒，您已經全部明瞭了吧？您要我調查的那個「偷天換日」的孩子，我捉到了，正是令郎朱振亞自己！

我當時點頭示意答應了振亞的請求，見他結實的小身影走回飯廳，我才無限激動的回到自己的房裡來。我一邊用毛巾擦臉一邊想，這蘿蔔乾到底是什麼滋味？它實在是包含著人生的各種滋味，要看什麼人在什麼境遇下吃它。

我又想，善良的本性，雖在如此紛亂醜惡的人間，卻並未從我們的第二代失去，這是多麼令人喜悅的事情。

我不斷的用毛巾擦著，想著，擦了這麼久才發現，我沒有在擦油嘴，卻擦的是眼睛。喲！眞奇怪！我原是滿心的高興，爲何卻流淚？

當您看完了這封信，打算怎樣處置這件事呢？您會原諒這「偷天換日」的孩子嗎？我倒要爲我的學生向您求情了！

此覆　並祝

快樂

林××上

四十五年五月二日

貧非罪

他們問我，對於那個富家子弟被貧苦小兒毒打的事件，是如何處理的？我願意講給他們聽，但是我一定要先爲這件事正一下名，它應當這麼說：那個富家子弟羞辱了貧苦小兒而被打的事件。

在週末的下午還給我添麻煩，眞使我不耐煩；當馮老師驚慌的跑進我的房間來時，我正預備鎖了屋門出去，看五點半那場的電影，他在等我。

「快去看你班上的兩個孩子打架，那個小瘦羊，是要把邱乃新打死嗎？他拳拳到肉，拿邱乃新的頭臉當一塊燒熱的鐵在捶打。」

我聽了緊皺起眉頭。

正在說著，這兩個學生已被同學們簇擁而來。看見小牛一樣健壯的邱乃新被打成這樣子，我也不免驚疑，這個咬菜根長大的張一雄，他哪兒來的這麼大力氣打人？

我在未問明這件事的起因以前，先把圍在窗外看熱鬧的學生們趕走了，我說：

「回家吧，不要圍在這裡，這兒又不是七分局！」

然後我把窗門關上了，屋裡只剩下我們三個人。我想先治傷要緊，便一面用冷水擦著邱乃新的傷處，並且塗上消腫藥膏，一面對張一雄說：

「一雄，看你把他揍得眞夠瞧的，已經青腫了，到底是爲了什麼？」

「我不許他這樣學我的父親，說我的父親！」

說話的這張小臉蛋兒，青筋暴著，聲音悲憤而顫抖，眼裡含著就要奪眶而出的淚水。

不用說我也知道，是邱乃新又學了張一雄的爸爸——那腋下架了單拐的瘸子。說來也實在可笑，連我初見那單腳漢子一跳一跳的走路時，也不免緊閉著嘴唇，怕不小心會笑出來。邱乃新聰明過人，所以，如果那單拐被他學了的話，準保會引起同學們的哄堂大笑。再加上他對張一雄的爸爸曾被誣陷窩藏賊贓的訕笑，那滋味兒對於被訕笑的這方面，確是要一個相當程度的忍受。我相信這是一次過度忍受後的爆炸。

當我把消腫藥膏塗上邱乃新的嘴巴時，便漫不經心的問：

「那麼你又是學了他爸爸走路的樣兒啦！一跳一跳的！你還告訴同學們說，他的爸爸吃了官司，因爲窩藏贓貨？」

邱乃新沒有回答，表示默認。

我要邱乃新把童子軍服上身脫下來，因爲鈕釦也被扯落了兩枚，脫下衣服時，我又看見，小棒捶一樣結實的胳膊上，也青腫了兩塊。我微示意叫張一雄看，他眼皮抬了一下，又低下了頭。

「邱乃新，你爸爸是要出國了嗎？」我一邊縫鈕子，一邊問。

「是的，林老師，爸爸這次要到歐洲去考察。」

說起爸爸，那是邱乃新頂得意的事，本來也是，那眞是一個値得使兒子驕傲的爸爸！這位爸爸是富農，邱乃新曾說過，他爸爸所有的田地比台北市還要大，這並不是誇大之詞，當你乘南下火車時，便可以看見那一望無際的嘉南平原。去年我領著一班孩子到南部旅行，在火車上，邱乃新便指著平原的二期稻向我說，嘉南平原的好田地，是有他家一部分的。而且這樣小的孩子，對於農業便有很豐富的知識，實在應當歸功於這位富農的教子有方；他年年帶了愛子們下鄉，爲的使他們認識農作。不但如此，他還是水利專家，對於平原的灌溉，有不少的貢獻，他不光是爲自己的田地，也造福所有的農家，所以一提起坎腳的「邱枝仔」，人們都肅然起敬，他們都願親暱的稱呼著他的小名枝仔，而忘記了他的大名是「邱添枝」了。邱添枝先生的後代，也沒得說的，乃新的大哥學的是農業化學，前年才送出了國，二哥雖然沒有按照父親所期望的去學水利工程，可是也沒出土地的圈子，他研究土壤。水利工程的希望，便整個寄予最小兒子邱乃新的身上了。乃新不會使爸爸失望的，他既聰明過人，當然學什麼都可以，學瘸子架拐不也很像嗎？

「你爸爸這次又是去考察水利嗎？」

「是的，他要到許多國家去考察，要耽擱半年之久。」他回答我，眼睛卻以不屑的神氣溜著張一雄，那苦孩子，他頭更低垂了，他從一進這屋子起，就在等待著我的懲罰，我知道他不想申訴更多的理由，因爲他是無理可申的。

「乃新，你的爸爸眞是一位可敬佩的爸爸！」我縫好了鈕子，把衣服遞給他時這麼說，但是我略一遲疑便又接著說：「但是張一雄，他也有一個可敬可佩的爸爸呢。」

我這話一說出口，正在穿衣服的，和那等待受罰的，都猛的抬起了頭，因爲這句話出人意外，是他們倆所未想到的，所以不約而同的瞪視著我，等待我說明這句話的意義是什麼。

「人人的爸爸都是他們心目中的英雄，所以，」我把眼睛朝著牆上的日曆，因爲我這話不是專向某一個人說的，「人人都願意自己的爸爸受到尊敬，卻不容被羞辱。」

「說起張一雄的家，是眞夠窮的，」我再說這話，卻是面向著邱乃新了，「當然，一雄爸爸的腳也影響了他們一家人的生活。」

說起張一雄的窮苦，我的腦子立刻浮上幾個深刻的印象；純白的午餐，多彩的外套，街廊下的木板屋，爸爸的單腳。

不祇一次了，當這窮孩子打開了他的午餐盒，裡面確是滿滿的白米飯，但旁邊卻是一撮白糖。白糖拌白飯，使我想起了淘氣的幼年，吃汽水泡飯和燒餅夾冰淇淋的趣味來了。但他的白糖拌白飯可不是爲了興趣呀！只是因爲一撮白糖總比用油炒菜更省錢些罷了。還有他那件用幾種不同材料拼湊成的外套，曾一度使我以爲他爸爸是裁縫。

同樣是學生的家長，但當你知道一個是擁有整個城市那樣廣大的田地時，你簡直不相信世間尙另有一個如此貧困的人！有一天，當我走向那條兩邊都是騎樓的巷子，並且找到了臨時搭蓋在騎樓下的簡陋的木板屋時，我不由得默誦著印度詩人泰戈爾的短句：「小草呀！你的足步雖小，但是你有你足下的土地。」看見這樣風雨飄搖的小屋，我不免替屋中的人羨慕小草。

那天是我做家庭訪問，但是我並沒有走進那和街路打成一片的家庭，張一雄的爸爸把我讓到他們的「寶號」去坐——在巷口外他擺的那個攤子旁。這個攤子除了賣些甘蔗糖果外，還兼賣糯米麵做的小人兒，那是用蒸熟了的糯米粉，加入各色顏料，捏製成的人物動物。我想這是他斷腿後無以爲生，才想起來藉以餬口的手藝。

講到貧困的生活，這位單腳的家長，在談話中便不免涉及他的腿的故事：是戰爭的末期了，他不幸被徵調到中國大陸去做日本軍隊的翻譯。有一次，他在一種不忍的心情下，放走了一個中國青年，是抗日地下工作者。這樣一來，他的腿便在池田少佐的盛怒下被打斷了，他拖著剩下的一條腿，回到被盟軍轟炸得千瘡百孔的台灣來後不久，日本便投降了。

「那條腿留在大陸上了，這條腿使我一無所用！」我記得他說到這裡苦笑著，指著攤子上的小麵人兒，「我做著騙孩子的生意，養我六口之家。」

看那小巧的麵人兒，我曾發怪想：如果我是校長，我要請他到我們學校來教勞作。

「你學張一雄的爸爸走路，不要緊，但你也無妨知道一下他的腿是爲了什麼，才變成這樣的。」於是我便把斷腿的故事講一遍給邱乃新聽。

我想爲人子者都是一樣的，講到單腿的爸爸的故事時，那瘦瘦的小羊，眼裡也充滿了光輝。

「還有關於張一雄的爸爸被誣陷窩藏賊贓的事，我也知道得很清楚。」我再說給邱乃新聽，因爲我勢必得糾正他對這件事的錯誤的印象。我說：「乃新，貧窮本來就夠痛苦的了，但是還有許多不幸的事隨著貧窮產生。張一雄的爸爸，又窮又倒楣。有一天不良的鄰居硬把一個小箱寄存在他家，他懷疑這不是一件普通事，第二天便決定把小箱子送到警察局去，可是他晚了一步，所謂鄰居的賊人已被捕了，警察正迎面而來，是預備到他家起贓的，因此他也被捕了，並且以窩藏賊贓嫌疑的罪名被起訴。這件事在報上一登出來，我就知道準是冤枉的，我也準知道，在公平的法律之下他的罪會被洗刷乾淨。果然不久他便被證明無辜了。乃新你看，他爸爸在巷口外擺他的攤子，沒有人敢瞧他不起。」

關於這兩個孩子的糾紛，我的話本是說到這裡爲止的，這便是我處理的經過，但是他們並不滿意，一定要問我，到底是命令哪一個先向對方道歉？關於這，我非常抱歉，因爲這兩個孩子究竟誰先向誰道歉，我確實一無所知。我以爲究竟誰先向誰道歉，他們各人的心裡，自然會有最公平的裁判而自行決定，不是——也不用我來命令，我也沒有知道的必要。當時，我只是從抽屜裡拿出鑰匙，放在桌子上，因爲我早就預備出去的，我最後對他們倆這麼說：

「健全的社會是由於兩種力量組成的；一種是『造福人群的智慧』，像邱乃新，你的爸爸一樣。一種是『貧苦不移的精神』，像張一雄，你的爸爸一樣。好，你們倆，不管誰先向誰賠不是，但不要忘記，臨走時要把門替我鎖好。」

當然，在處理這件事的全部過程中，人們不難看出，我所秉持的，祇有一個重要的意義：貧非罪。

四十五年三月二十七日

窮漢養嬌兒

我正在整理一些零亂的筆記，是看書的時候隨手寫在活頁本子上的。隨便抽出一頁看，碰到了下面自己所記下的句子：

我讀了《罪與罰》作者妥斯退也夫斯基的書信。那時他十六歲，在聖彼得堡工科學校讀書，經濟非常困難。他寫信給他的父親說：「我親愛的父親，當你的兒子向你要錢的時候，你總該想到他如果沒有必要時，決不會煩擾你的，因為我知道你很困難，所以我平常連茶都不飲。」他又寫信給弟弟說：「我因為飢寒交迫，在路上生了病，一天大雨落下來，我們都在露天下立著，我身上連喝一口茶的錢都沒有。」

我讀了這段小小的筆記，很快的便把它和我在今天下午所批改的呂長波的作文本聯想到一起了。其實這兩者有什麼關係呢？難道是因為呂長波也有個哥哥在讀工科嗎？或者是觸及到「父親」和「貧窮」這類的字眼兒了呢？

我因此又聯想到一個問題！為什麼人類往往在困苦中才能產生更多感人的事情？還是因為我的感情脆弱，隨便一個微不足道的小人物的小舉動，都能使我情感激動？但無論如何，我不會忘記關於那老書記和他的兒子們的故事。

是在上學期末快要期考的時候。我發現許多天來，孩子們都在迷戀於一種奇怪的遊戲。下課後的操場上充滿了一片不搭調的歌聲和一些莫名其妙的姿態，而呂長波似乎是個中能手，他鬧得比誰都歡躍。

我從教員休息室望過去，那為首的呂長波，是怎樣的一副怪相呀！一個兜在網子裡的籃球掛在後腰帶上，剛好垂在屁股上，有規律的一步一扭腰肢，兩隻手時而伸向後面拍打幾下籃球，時而高舉搖晃，嘴裡「嘩啦啦嘩啦啦」的叫喊，還有一些怪辭句跟在後面。別的孩子也都這樣做，有的把書包背在身後打，有的什麼都沒有，光在拍著自己的屁股。我不明白為什麼他們熱中於這個遊戲，曲調既不悅耳，姿勢也不美妙，或許只是因為一種有節奏的單調的運動，使他們感覺興趣嗎？

這樣的情形繼續了許多天以後，有一天我終於走到他們的一群中：

「這到底是怎麼一回事？」我指著呂長波身後掛著的籃球問。

「賣藥的一人樂隊，老師。後面假裝是一個大鼓。」

「哪兒學來的？」

「是他，黎明亮教我的。」

「那念念叨叨的歌詞兒，都是些什麼話？」我知道這一定是從街頭上賣野藥那裡學來的，我深怕粗鄙的歌詞無益於兒童。

「不太清楚，老師，黎明亮學不來，他就會嘩啦啦啦一句。」

這時黎明亮也過來了，他還以爲我對這賣野藥的也發生了興趣呢，他對呂長波說：

「我叫你下了課到我家，你偏不嘛，那一人樂隊差不多每天六、七點鐘便到我們家那一帶，他唱的那些話，你一定全學得來的。」

「可是那不行呀！」這老書記的淘氣的兒子似覺不勝遺憾，「你知道我如果過了六點鐘還不回去，爸爸就要到車站來望我。他會連飯都不肯吃的等著我。」

這確實不錯，我知道呂長波家住板橋的鄉下，有一次他說過因爲放學後貪玩了一會兒，害得他爸爸在車站等到天黑，從此他再也不敢遲歸了。在這一點上，淘氣的孩子倒還差強人意。

上課鈴響了，我不得不繃起面孔來說：「要期考了，長波，你眞是祇想對付著及格就滿意了麼？」呂長波這孩子，天眞快樂無憂無慮雖是他性格上的優點，但對於功課祇對付能及格就夠了的觀念，可眞要不得。

暑假來了，看不見孩子們淘氣，操場上倒眞顯得一片空蕩，祇留下幾班投考中學的六年級生還在埋頭苦苦的補習。校長認爲我獨身清閒，也派了我擔任其中某一班的算術，眞感責任重大。

在昏昏欲睡的夏日午後演習算題，實在不是好辦法，我看他們被逆水行舟，雞兔同籠，父子年齡攪得緊鎖眉頭，齜牙咧嘴，咬鉛筆，搔腦袋，滿臉怪相！

「好了，」我看離下課祇有十幾分鐘了，「大家把功課收拾起來吧，閉上眼睛讓腦子休息休息，什麼也不要想。」

孩子們一聽好高興，立刻把書本塞進書包裡，背向椅後一靠，閉上了眼睛。

我也一樣閉上了眼睛，讓腦子澄清，一無所有。但一切過往都澄了，似乎又從那遠遠的地方來了一隊新的什麼東西，向我已經空洞了的腦子裡走，是一些聲音，彷彿在哪兒聽過，我不禁睜開了眼睛，祇見講台下的幾十對眼睛也早就瞪得好大了。他們的眼神是由驚疑、恍悟，終於興奮的拉長嘴角笑了。

「是嘩啦啦啦！」其中一個輕輕的說。

「一人樂隊！」又一個說。

夏日午後的睏神被驅除得無影無蹤，個個伸長了脖子在傾聽，我知道他們準備在下課鈴一響就往外跑。如果我不是身爲師長，又何嘗沒有這種企圖！因爲許久以來我就要研究它爲何如此使孩子們著迷。然而爲了壓制孩子們的浮躁的性情，我裝著沒發生什麼，一直耗到下課的鈴響，才放他們出去。

那複雜的樂聲越來越近，無疑的是停在校門口了。我也慢慢的，做出漫不經心的樣子向校門外走去，我聽出那些樂器似乎包括有大鼓、小鑼、響鼓、鈸，還有一種沙啞而在掙扎嘶喊的嗓子，那嗓音聽來就知道，決不是屬於年輕人的。

學生和行人，層層的把這樂隊圍住了，等我擠進了人圈一看，眼前的景色不免使我一驚，所謂複雜的樂聲，原來祇出於一人的操縱，怪不得孩子們管那叫「一人樂隊」。要形容這一人樂隊，可也不是三言兩語說得完的，因爲他全身的牽掛是這麼沉重呀！

我首先注意的是樂隊的組織：一面大鼓直背在背後，兩面都可以敲打，但是他右手拿了響鼓，左手舉著一把廣告傘，鑼鼓齊鳴，又從何下手呢？原來第三第四隻手是從後褲袋裡伸出來的，那祇是兩隻棒，機關很巧妙，我現在想起孩子們學的那一走一扭的姿態來了。因爲打鼓的木棒雖從褲袋伸出來，卻有一根繩子綁著從褲袋直通腳跟，他每走一步，便牽扯到木棒打下鼓，如果他扭動腰肢，因了臀部的推動，木棒的擊點卻又移到兩面鼓上另裝著的鑼和鈸上了。所以扭一步，這邊是鑼和鼓，噹咚！再扭一步，那邊是鈸和鼓，嗆咚！再加上他手上一面不斷搖晃的響鼓，和不停口的啞嗓門兒，嗆咚！嗆咚！嘩啦啦啦，可不是一人樂隊麼！

我再順著他腳底下往上看：一雙舊膠鞋，不算稀奇，一身五顏六色碎花布縫成的百家衣才有趣，那塗得像花狗屁股的一張臉，卻套著一個橡皮的大鼻子，唉！還向來賓脫帽鞠躬哪！落日的紅光照在那光禿禿的頭頂上，十分滑稽。我聽身後看熱鬧的京油子說：「老燈泡兒有六十了吧！真耍一氣！」

是被他聽見了麼？祇見他扭著步，搖晃著響鼓，向我們這邊走來，衝著京油子就數叨上了：

嘩啦啦啦！刷刷刷！

這位先生你眼光真不差！

老漢不算大，

六十不到五十八，

兒要讀書老子耍，

走遍了天涯——

賣糖賣藥也賣茶！嘩啦啦啦！

嘩啦啦啦！

於是，他又撐開了那把特製的黃布傘，傘上印了一圈大字：「胖娃娃牌泡泡糖」。接著他又扯開了嘶啞的嗓子：

嘩啦啦啦！

全來吧就全來吧！

全來買一塊錢的胖娃娃。

這位先生說的真叫妙，

我燈泡兒雖老，牌子可好，

諸君一嘗就知道。

嘩啦啦啦！全來吧！

他唱到燈泡兒的時候，又摘下那頂古怪的帽子，低下頭顯示給人看，圍著看熱鬧的觀眾都滿意的笑了，他的泡泡糖也賣掉了不少。我雖然在學生的面前極力使自己不笑出來，卻也滿心輕鬆。我欣賞他那臨時編纂出來的詞句，竟能把觀眾帶進去。自來丑角都有過人的智慧，慈善的心腸，他把自己快樂給世人分享，……我心裡不由這麼想著。

嘩啦啦啦！嘩啦啦啦！

……………………

我又發現孩子們每逢到嘩啦啦的時候，都也跟著唱，身體搖晃著，隨著那有節奏的扭步。但我也覺得我以老師的身分站在這裡，實在不宜過久，不過我可也沒意思把孩子們也趕走，讓他們輕鬆一下吧，老頭子賣泡泡糖的對象本來就是孩子，好在他的歌詞雖俗淺尙無粗鄙之處，而且還眞有幾分親切的人情味兒！

第二天，他仍順利的演出，第三天卻引起了校長的注意，她要我陪著出去看看，看她滿臉嫌惡和煩躁，我知道：老頭子有一頓排頭好吃了。

嘩啦啦啦！哈哈哈！

要來買糖的就是她！

……………

就在我們剛剛擠進人圈的時候，一堆胖娃娃牌的泡泡糖放在響鼓上，正好配著歌詞送到校長的面前，出其不意的，校長竟繃著臉朝前一堆，老頭子停止了那數來寶的調子，也不免稍稍一驚。

「喂！老頭子！這是學校，可不是雜耍場！沒看見那邊的牌子嗎！每天都在我們的學生上課時跑來，又吵又鬧，賣些欺騙小孩子的東西。走吧走吧！」

老頭子故意以滑稽的樣子做出立正傾聽訓詞狀，等校長訓完了，他不慌不忙的又嘩啦啦啦唱起來了：

嘩啦啦啦！嘩啦啦啦！
校長校長你別惱，
老頭子我馬上就走了，
我賣糖，我賣藥，
我賣的價錢都公道——是貨又好！

校長請原諒我多吵鬧，
衹為的是家中妻弱兒又小！
……………

嚴肅的校長，並沒被幽默的歌詞所軟化，她拍拍我的肩頭說：「林老師，交給你辦了，把他趕走，妨礙學校秩序。」乾脆的聲音隨著她的快步而去。

興高采烈的情緒，被校長打破了，觀眾索然，我負了趕走他的責任，也覺十分無趣。我想了想，便指著校牆的盡頭對老頭子說：「看見沒有，祗要走過那道牆，就不屬於學校的範圍了。」

他脫帽鞠躬，收拾全套的裝備，舉起廣告傘，搖著響鼓，向還在戀戀不捨追隨他的觀眾，邊走，邊扭，邊敲打，邊數唱：

嘩啦啦啦！全跟著我走呀走，
賣糖賣藥我何曾欺過童與叟，
校長出言好叫人難受，
別讓我老頭子還在這兒丟醜！

這位老師指點了我一手，
走呀走，
往前瞅，
過了這道牆，校長就不能跟我吼！
……………

看那吃力的扭動，博得行人的喝采，我心中忽然興起了無限的憐憫之情，我發現每次的歌詞雖然是以歡樂的聲調唱出，但在冥冥中似也含著人世的悲涼。這老者，他有心事麼？歌唱聲和人影漸行漸遠，轉過學校的牆角，隨著黃昏一道消失了，我還癡立在被晚風吹拂而大搖其頭的椰樹下，呆呆的想。

應該是感覺漫長的暑假，卻在忙碌中溜過去了。

開學了，畢業了一群，考入了一群，氣象雖一新，但一迎一送，卻也令人有些惆悵的感覺。現在我這一班升為畢業班了，這一年我們將時時在緊張中。可是孩子們似乎還沒有收斂下心來讀書，是暑假玩野了。而且不知是誰又起了頭，那一人樂隊的玩笑兒，又在操場上盛行了。

我雖然同情那老頭子，卻也很煩惱孩子們為這玩意兒分散了他們用功的心。因為呂長波、黎明亮這幾個貪玩的孩子，竟醉心於編寫那種數來寶的歌詞了，怎麼了得！我暗暗的叫苦，是畢業班哪！

校長也注意到了，不用說，她開頭就討厭那老頭子，當然更討厭孩子們拿這當遊戲。她主張我應當到那幾個淘氣的學生家裡走一趟，請家長和老師合作，督促孩子們的功課。

一次家庭訪問，是必要的。

小橋，流水，人家，我在離板橋鎮不遠的鄉下，找到了那小樹旁的人家。——呂長波正在門前張望，看見了我，他意外的吃驚和高興，他說他原是在望爸爸的，沒想到爸爸沒回來，老師倒來了。

「爸爸不在家嗎？」我很失望。

「他會回來的，爸爸這幾個月很忙，常常加班。」

「那麼現在是你等爸爸，而不是爸爸等你嘍！」我一面跟著走進他的家，一面玩笑說。

在呂長波母親的熱心招待下，我們談了一些家常；生活是艱苦的，但這種年月靠薪水吃飯的公務員誰也不例外，難得是這一家人和睦快樂，孩子們念書不用大人操心，是呂太太最引以爲慰的事。我信這話，但是我今天此來的目的，卻是預備在婉和的談話中給呂長波告一狀呢！告他在學校如何貪玩，編那些無聊的歌詞，學這學那，全是淘氣的事，要請家長注意。

這時外面有人推門進來了，呂太太說：「回來了。」是加班的老書記回來了。可不是，一身黃卡其布的中山裝，左胸前別著市政府的徽章，年紀眞不小了，滿面是經歷風霜的痕跡，還有已經光光的禿頭，「呀！」我不覺輕輕的驚叫了一聲，這禿頭——我對他似曾相識！也就是，就是……

這樣的一次晤面，是眞夠尷尬的，我不得不裝作初認識，他也讓茶讓菸，是企圖掩飾這尷尬的場面，我把來時所準備要談的話，吞回肚子裡一大半，我想儘速的告辭，也許能使主客更舒服些。

二十分鐘的回程公路車上，我沒想別的，光是那嘩啦啦的聲音在我腦子裡作怪，一下子操場上，一下子校門邊。老書記是個適於在小說裡出現的神祕人物嗎？還是個應當讓心理學家研究的變態人物？什麼理由使他組織一個一人樂隊？家人都不知道嗎？「這幾個月爸爸常加班。」我把呂長波的這句話和黃昏後大道旁的一人樂隊演奏連到一起，不禁暗笑了。

第二天絕早，一人樂隊在學校的會客室裡了。他見了我首先就難爲情的說：

「讓您見笑了，林老師。」

我明白他所指的是我已經知道關於他的事了，我也衹好說：

「我眞佩服呂先生的技術——不，藝術。」

「是我不自量力，憑我個老書記——一個市政府的雇員待遇，還配叫每個兒子受高等教育嗎？所以，我也就不得不——您看，就想了這麼個賺錢的法兒，在老師面前多丟醜了！」他訥訥的說，完全不是那油腔滑舌的丑角了。

「哪兒的話！」我不知道應當怎樣措詞才合適，現在我才明白，他既不是行動神祕的人物，也不是心理變態的老頭子，他是一個正常而正當的好父親。不過，我想到一點，聽說呂長波的兩個哥哥同時考取了工專，這固然是可喜的事，但他們應當認識今天的青年是處在什麼時代了，所以我不禁說：「其實讓他們找個送報的差事什麼的，半工半讀，不也可以嗎？何必您這麼——」

「窮漢養嬌兒，北方的一句俗話您總該知道。託生給沒本事的爸爸當兒子，念書也夠苦了，天天帶著盒冷飯，風裡去雨裡來的，我還要他們苦上加苦麼？我捨不得！您不知道他們的書念得好呢！」他一邊說著，一邊咧嘴笑了，雖然面部這麼一牽動，多皺的地方更皺了，眼裡卻放著喜悅的光。說到兒子就這麼高興麼？

「那衹是苦了您自己了。」我想起大太陽底下全身披掛的一人樂隊。

「我算得了什麼！祇要他們能高高興興的念書，我又算得了什麼！」接著他又放低了聲音對我說，「可是，人心都是肉長的，他們要是知道做老子的爲他們幹這個，心裡也不好受，所以我瞞著。可是，這回可瞞不了您……。」

我明白這是他一大早跑來的最大原因，我趕快接著說：「這事就祇您知道我知道，別人也用不著知道，您說是不是？」

他滿意的笑了，這才起身告辭，我看著他的背影走出會客室，上升的朝陽剛好照在他的禿頂上，「啊！」我連忙叫住他，「呂先生，您的帽子。」他遺忘在會客室的長椅上了。

窮漢養嬌兒，這一天我把這句話想了好幾遍，我想，人間的親子之愛有多少種？窮漢養嬌兒是很出色的一種。

操場上那一陣熱潮已成過去，再也聽不到看不到那怪聲怪樣了，可是我有時也不免想，那老書記的「加班」究竟到何時爲止？想不到今天卻在呂長波的作文本中，得到了答案。就在我出的〈記一件快樂的事〉的作文題目下，他寫了這麼一篇東西：

爸爸得到了一筆獎金，這是我家自從大哥、二哥考取工專以後的又一件頂頂快樂的事情。爸爸得了這筆獎金，是他勤勞的結果，爸爸從來不請假或遲到，而且還努力的加班工作，所以他的長官給了他一筆獎金。

我們更快樂的事情是有了這筆獎金，我們大家所希望的東西都達到目的了。大哥和二哥念機械，需要畫圖的儀器和計算尺，他們都得到了，以後不必再向人借，那東西的價錢好貴呀，去掉爸爸獎金的一大半。我也得了一件雨衣和一個籃球。我們都很快樂，很驕傲。爸爸暫時不用再加班了，他說他該休息休息了。

我看完不由得在文後批了幾個字：「爲使努力加班的爸爸更快樂，唯有用功讀書。」但是，他能懂得這句話裡所包含的眞正意義嗎？

四十五年八月十日

蟹殼黃

自從兩個月前，公共汽車站變換位置，把車牌改到轉角這條馬路來，我們才發現這家名爲「家鄉館」的豆漿店。那天早晨，凡趕公共汽車，我上菜場，在家鄉館門前，偶然看見已經曬褪色的紅紙廣告牌上寫著：「本店早點油酥蟹殼黃」，我們便第一次邁進了家鄉館。屋子小得厲害，衹放了三張小方桌，我們在靠牆角的一張「雅座」上坐下。沒人來招呼。門前打燒餅的綠格襯衫少年，一心一意地往灶口裡掏那烤熟的蟹殼黃，掏一個，甩一甩手，吹一口氣，滿面油光，滿頭大汗，看樣子，工作的熱情有餘，技術不夠。店裡衹有兩個人，身後蹲著一位在洗碗筷，縮在那兒，低著頭，衹看見一條長鼻子。

「喂！」我喊了一聲，有點生氣。

長鼻子沒有動彈，綠格襯衫倒回過頭來，發現把我們冷落了，皺著眉急忙喊：

「喂，招呼人客呀！」

一聽口音就知道他是廣東人，管客人叫人客，我還猜想他是嶺東的人。他的天庭高，眼睛深，一身黑腱子肉，不像小本經營的買賣人，倒像什麼香港、菲律賓來的球員。這一叫有了用，長鼻子慢呑呑地站起來，先把碗筷放好，才移步到我們面前來。我這時看清楚那鼻子實在太長了，不禁想起日本芥川龍之介的小說〈鼻子〉來，也使我想起〈鼻子〉裡描寫禪智法師的鼻子有五、六寸長，確是可能的；因爲眼前這條長鼻子，從根到尖，總也和禪智法師的不相上下了。他整個臉上的肉都彷彿隨著鼻子的重量垂下來。他不笑，苦哈哈的；笑起來，陰森森的。第一天我們就有福看到他的笑容，因爲他把我們要的蟹殼黃遞到對面桌上去了，人家要的甜漿臥白果，他卻顫悠悠地端到我面前來。我們這桌和對面那桌的客人，都冷眼看著不言語，他看兩方都不動嘴，才發現了自己的錯誤，咧嘴一笑：

「喲！這一早上挨噌挨的，糊塗啦！」

說著就把兩邊的早點掉換過。一聽這地道的北平口氣，我和凡不由相視一笑。鼻子雖長，樣子雖冷，對我們，卻也有份親切感。

以後一連幾天，我們都是家鄉館的座上客。因爲人管綠格襯衫叫「小黃」、「老黃」，又做的是蟹殼黃，我給他起了個外號叫「蟹殼黃」，當然這衹限於我和凡背地裡談話叫的。幾天下來，對家鄉館有了點認識，蟹殼黃是老闆，長鼻子是夥計年紀雖然比老闆大了一倍，但是因爲地位的關係，不得不時時刻刻挨老闆的罵。本來做事就慢，大概被罵了心有未甘，就更加表現他的缺點，以示抵抗吧！有一天蟹殼黃又督促長鼻子做什麼，但是長鼻子儘管嘩啦嘩啦地洗刷碗筷，不動窩兒，蟹殼黃急了，一副氣急敗壞的相兒，自己橫衝直撞地跑到後院去。長鼻子這時才慢條斯理地站起來，一邊把碗筷送到桌上，一邊面部無表情地自言自語著：「蟹殼黃！屬螃蟹的，橫爬！」

三張「雅座」上的六個客人都笑了，我差點兒把原汁豆漿噴出來！我是笑怎麼我們不約而同地都給老闆起了同樣的外號？長鼻子把客人逗笑了，他並不笑，依然是那副冷冰冰的樣子。

又過了幾天，家鄉館忽然貼出新的紅紙廣告來了，原來是除了油酥蟹殼黃、油條、原汁豆漿以外，又加了「小籠包子」一項，門前也多了一口爐灶和一塊案板，站著一條大老黑粗的漢子，在那兒揉麵包包子。小屋裡又硬擺下一張雅座，把長鼻子所心愛的洗碗部都擠到牆角去了。

雖然添了客人，添了工作，長鼻子的慢動作並沒有改變。本來也是，客人吃剩下的碗筷總要洗刷的，如果他放下碗筷去招呼客人，沒有碗，他怎麼盛豆漿呀？我漸漸地同情長鼻子了。他做事總算是有條理，聽說他是顧劇團解散下來的，我又對他更增進一份親切感，說不定我還是他的觀眾呢！不知他是唱什麼的？整紗帽，捋鬍子，抖摟袖子，一聲咳嗽，他在豆漿店裡也走的是台步呀！衹怪蟹殼黃太少年氣盛缺乏同情心了。我常常這麼想。

做小籠包子的這位師傅，是山東大漢，十足表現了他那籍貫的傳統性格。個子大，勁頭兒足，耍在他手裡的那塊發麵，總有十幾斤吧，他把它放在案板上，翻過來掉過去地揉它、拍它，叭叭叭的，那塊麵，就像一個白胖女人的肉體在挨揍。小籠屜疊了十幾層高，層層冒著熱氣。他不像蟹殼黃那樣怕熏，熱煙直向他衹穿著一件絨背心的胸脯上吹，也不當回事。

我們叫來一籠包子。我覺得包子個兒大了些，像小饅頭了，便輕輕對凡說：「大概皮厚餡少，不像包子樣兒。」凡還沒答話呢，誰知長鼻子正拿醋來，他聽見了，冷冷地說了一句：「您吃吧！包子肉多不在褶兒上！」也不知道這句話是在挖苦老鄉，還是在替老鄉說話。包子雖然不算難吃，總覺得不夠意思。吃完出了家鄉館，在去菜場的路上我不由得心想：這家鄉館，是算哪個的家鄉呢？三個人，來自三個不同的地方：廣東、北平和山東。而廣東人和山東人卻做著江南風味的蟹殼黃和小籠包子，戲班出身的京油子卻當了店小二。

起初，還表現得不錯，除了長鼻子冷言冷語甩幾句老廣聽不懂的閒話以外，其餘的兩個人彷彿還能合作。因爲各人賣各人的，不知道他們怎麼分賬法？但是我看見他們總把包子錢另外分出來，大概長鼻子是給他們兩個人當伙計了。生意那一陣子的確不錯，長鼻子更忙不過來了，反正他也不著急，還是走他的台步，祇是把蟹殼黃氣壞了。有一天凡叫了一碗鹹豆漿和兩籠包子，包子吃完了，豆漿還沒來，凡大概犯了他學生時代在飯廳裡的脾氣，不催也不叫，一手拿一根筷子，輕輕敲打著桌子，表示無言的抗議。這樣忍了一會兒，聽後面的洗碗聲還沒有停止的意思，凡便回過頭對長鼻子開玩笑說：

「我們可是乾嗑了兩籠包子了，豆漿怎麼樣了？黃豆還沒上磨嗎？」

這回長鼻子倒是陰森森地笑了一下，彷彿與他不相干似的，竟也玩笑地說：

「這叫三個和尚沒有豆漿吃！」

蟹殼黃一聽急了，趕快配好佐料舀了一碗豆漿，端來時用力「ㄅㄤ」的一下頓在桌上，豆漿濺到桌子上，好像是跟客人過不去，其實他是在對長鼻子發脾氣，還急不擇言地罵了兩句：

「我不知道北方人是這樣地沒出息！」他也不管吃早點的客人都是哪裡人。

長鼻子哼了一聲沒答話，老鄉倒開口了：

「可不能一概而論呀！」

還好老鄉態度不太積極，說完也就過去了。客人們也都沒搭碴兒，因爲這是他們私人的事，樂得看熱鬧。衹是我們白白地被頓一下，顯得蟹殼黃太沒禮貌了，但我們原諒他的心情。呆一下，蟹殼黃到後面去了，長鼻子從洗碗部站起來，望著蟹殼黃的後影，冷冷然，慢吞吞地吐出了三個字：

「南—蠻—子！」

客人們忍不住哄堂大笑，老鄉也哈哈大笑。這時蟹殼黃從裡面出來了，又換了那件綠格襯衫。他不明白大家的笑容和對他的注視是爲了什麼，大概還當是他剛才罵對了，大家在笑長鼻子呢，所以他又側頭對長鼻子不屑地瞪了一眼。長鼻子也衹當沒看見，邁著台步走到老鄉那兒去端小籠包子，順口又嘟囔了一句：

「娘兒們刀尺！」

他明知道蟹殼黃聽不懂他這句話，所以毫不顧忌地大膽當面說出來。客人們也沒聽清楚，我們這桌挨得近，聽見了，也懂了。他是笑蟹殼黃穿綠格襯衫像女人打扮。蟹殼黃這時又好心好意地問老鄉一件什麼事，誰知老鄉也不耐煩起來了：

「俺不知道！」

他粗聲粗氣地回敬了這麼一句，隨後用力打著那塊白胖麵，彷彿在打他那扔在濟南府的女人出氣。

蟹殼黃莫名其妙地回到他自己的烤灶前。空氣有點不大協調，老鄉打夠了揉夠了那塊麵，忽然又感慨地說：「幹嘛呀！都是大陸上來的！」說完他自己倒冷笑了一聲。

客人們吃完早點算賬走出家鄉館，臉上都不免浮上一層笑意，是笑這店裡的三人戲。我想著長鼻子的話，走出來還直想笑。凡對我說：

「對於客人，這眞是一頓愉快的早點。但對這三個人來說，卻是一個不愉快的合作。」

「合作是這樣不容易的事啊！」我也不禁感慨。

果然，兩個月來不愉快的合作，終於解散。這個預兆，我在頭一天就知道了，那天長鼻子又背著蟹殼黃甩閒話了，恐怕是最後一次了吧？他雖對著老鄉說，可是故意讓客人聽見：

「老鄉呀！後兒咱們就顚兒啦！讓蟹殼黃一個人擺忙去！」

小籠包子的紅紙廣告，早就風吹日曬地變黃了。他們同進退以後，蟹殼黃一個人寂寞地耍了幾天，端漿、打燒餅、洗碗、算賬，眞夠他一個人擺忙的。偶然下午從那裡經過，還看見他在洗那件花格襯衫。

門口貼了兩天「今天休業」的紙招，家鄉館又新換了廣告牌，太陽照著紅紙，發出晃眼的紅光，上面春蚓秋蛇地寫了幾行字：「油酥蟹殼黃」、「油條」、「原汁豆漿」，還有「開口笑」、「生煎包子」。

蟹殼黃還是滿頭汗珠，在門口灶邊做蟹殼黃。灶那邊卻站著一個細高個兒，鼻子周圍一堆碎麻子，正在做生煎包子。包子上灑的幾粒黑芝麻，就像他鼻子上那堆碎麻子。玻璃櫥裡擺滿了叫「開口笑」的芝麻團，大平底鍋裡「滋啦滋啦」的是煎包子聲。兩個人連師傅帶夥計，裡外忙個不停，可是另有一番新氣象。

「不知道這位小碎麻子是哪方的人？」坐下來，我就輕聲問凡。

「左不是『大陸來台人士』！」

「那當然，我是說不知道是南蠻子還是……」我還沒說完，就聽見小碎麻子跟客人說話了：

「謝謝儂，謝謝儂，明朝會。」

好，不用說，這是道道地地做生煎包子那地方的人了，他們應當能夠愉快地合作，因為都是大江之南的人呀！可是不盡然。碎麻子確是手藝好，也許是哪家上海館子下來的。他彷彿要喧賓奪主，不但不聽老闆的指揮，而且還要反過來壓蟹殼黃一頭。兩個人常常當著客人的面就說話衝突，廣東人說官話，總是笨嘴拙舌的。碎麻子不說普通話，他直接用上海話數叨，又順嘴又俐落，搶上風的時候多。

有一天一個常去的客人見他們倆吵了以後，笑著說：

「照你們兩個年輕小伙子的火氣來看，我們的生煎包子恐怕吃不長嘍！」因爲這祇有一間門面的小房子是屬於蟹殼黃的，不能合作，總是別人滾蛋。

碎麻子維持的時間更短，大家還沒嘗夠生煎包子的味道呢，就已經成了陳跡，蟹殼黃又恢復到一人班了。

雖然祇有油酥蟹殼黃一樣點心，客人還是習慣到這裡來吃早點，這恐怕跟公共汽車站有關係，它占了地利的好處，但是人和卻不容易。客人都勸蟹殼黃，合作要有寬恕和忍耐的心腸，如果做不到卻要跟人合作，那是徒增苦惱。我們和他也漸漸地熟了，由閒談中才知道我以前的猜測不錯，他確是原籍嶺東的客家人，卻在嶺南長大，中學快畢業了，一個人逃到台灣來，是個性子憨直，略顯急躁，但能勤勉苦幹的標準客家人。也許是我自己的身體裡流著一半客家人的血液，我知道客家人的性格，就不由得同情他了。可是我以前也很同情長鼻子呢！我想鄉土的觀念總是難避免的，我在北平住了那麼一段長時期。

想不到家鄉館又展開了一個新的合作。那天早晨我在家吃過早點上街，路過家鄉館，不免向裡面瞥了一眼，咦！一個女孩子在給客人端豆漿呢！蟹殼黃低頭專心工作於灶口上。添了女職員啦？對於家鄉館好像有了一份關切，它的演變如何，總希望知道。所以第二天我就犧牲了家裡的早點，和凡又到家鄉館去了。我並不愛吃什麼油酥蟹殼黃，所以自從生煎包子走了後，我祇是偶一來之罷了。

小姑娘有十六、七了，聽蟹殼黃叫她阿嬌，總該是雇的女工。早先就有客人向他提議過說，與其用像長鼻子那樣的大陸來台人士，不如找個本地女孩工了。阿嬌很乖巧，做事相當俐落，瞇縫眼，卻總是笑意盎然，還不討厭。

這回蟹殼黃可支使得痛快了，阿嬌這，阿嬌那，我眞擔心他犯了老毛病，又快把人支使煩了，不幹了怎麼辦？

下午我到報館去，在家鄉館的門前等公共汽車。生意清閒的下午，阿嬌和蟹殼黃很無聊地各據一桌，困坐著，四隻眼睛望著街心發呆，想來他們還是陌生。阿嬌是女孩子，總靦腆些，還不如上午客人多的時候活潑呢！

漸漸的，阿嬌不聽他支使了，有時他叫不應她，有時她噘著嘴瞪他，但是她把事情都做了，他也就不會像以前對長鼻子那種態度去對付阿嬌了。有時他還要挨她的罵呢：

「污穢鬼！」

有一天，我冷眼看見蟹殼黃不小心把抹桌布掉進一碗豆漿裡，他居然把抹桌布從豆漿碗裡提出來，就要給客人端去，被阿嬌這麼罵了一句，而且搶過來把豆漿倒了，重新盛了一碗給客人。蟹殼黃遇見阿嬌有什麼辦法呢，他祇好一聲不響地回到灶邊打燒餅去了。

我對凡說：「小姑娘有辦法制他！」

有兩次在下午等車，我看見他們倆不那麼發呆了，阿嬌嘴裡哼著歌，蟹殼黃在看晚報。阿嬌唱的是宜蘭童謠〈丟丟銅仔〉，幾句簡單的歌詞「火車行到 ido amo ida 丟 ale 磅空內，磅空的水 ido 丟丟銅仔 ido amo ida 丟 ido 滴落來。」經過阿嬌那輕俏的歌喉，好聽極了。她一句一句地教蟹殼黃，但是這張笨嘴就是學不會。

「憨客人仔！」阿嬌急了，用台灣話笑罵他。這是台灣的閩南人罵客家人的話。挨了罵，蟹殼黃嘿嘿地傻笑。我聽了要笑出來，趕快用手絹捂著嘴，很想看他們——看憨客人在女孩子面前是一副什麼傻相，但是我不敢回頭，祇靜靜的聽著，直到車來了上去，路上還直想，那首歌，不知蟹殼黃學會了沒有？

第二天，我喝豆漿時和阿嬌閒聊：

「阿嬌，你姓什麼？」

「姓林呀！」

「原來我們是本家，你是哪裡人呢？」

「羅東。」

「怪不得！〈丟丟銅仔〉唱得那麼好！」〈丟丟銅仔〉是火車鑽山洞的台灣民謠，從台北到宜蘭要穿過許多山洞。蘭陽地區的人，從縣長到小孩，人人都會唱這首歌。我這麼一說，阿嬌先是一驚，隨後難爲情地笑了。至於那位被阿嬌稱做「憨客人」的蟹殼黃，正工作得很起勁，嘴裡還哼著歌，這是他從沒有過的現象，一切彷彿在改變了。

又一天的下午，我和凡去看電影，遠遠看見家鄉館那久空的案板旁，阿嬌在工作。是阿嬌在練習做包子嗎？走到跟前才看清楚，原來是阿嬌在案板上熨蟹殼黃的綠格襯衫，那麼悠然得意在一旁看晚報的是那位男主人！阿嬌抬起頭來看見了我，我不知爲什麼竟向她抿嘴一笑，隨後我的眼睛在綠格襯衫上打一轉，再看阿嬌時，她羞得滿臉通紅。走過去，凡對我玩笑說：

「你沖她這一笑，有點不懷好意！」

「哪裡！我不過看了一眼那件襯衫而已。」

「你說他們倆會不會……乾脆他娶了阿嬌不好麼？」

凡最喜歡給人捉成對兒，事實上看那樣子，兩人合作得差不多了吧？不過一個外省人和本省人的婚姻，有時也不簡單呢！

有一天凡下班回來忽然對我說：「糟了！蟹殼黃又貼出『本日休業』來，八成跟阿嬌又吹了。」

第二天第三天都是如此，門板上著，門鎖著。第四天，我早晨提著菜籃和凡走出巷子，喝！老遠就又看見家鄉館的廣告牌子了。我心中一喜，對凡說：

「看！你又可以調胃口了，這回不知道又找來什麼合作的人？最好是換成餛飩、湯麵、餃子、饅頭等等，而且也賣消夜的。」

我這麼盼望著，好奇心也促使我直朝著那紅紙招牌走去，到跟前，祇見那紅紙上寫了四個大字：

黃林喜事

「喲！」我叫出了聲，又驚奇，又高興。凡在我身旁說：「這才是一個最愉快最耐久的合作。」

再探頭向裡看，滿屋衣冠整齊的客人中，發現了幾張熟面孔，是碎麻子、老鄉和長鼻子呀，都滿面笑容一團和氣嘛！尤其是長鼻子，不知什麼事，笑得呵呵的，那鼻子隨著腦袋上下顫動，就越發地顯著了。

要喝冰水嗎？

火燙的太陽照滿了整個的西牆，站在牆邊的闊嘴仔阿伯，怎麼能不出汗！他掀起衣角，從褲腰帶上抽出毛巾來擦汗，一股樟腦的氣味從毛巾上透出來，那是毛巾掖在衣服裡，從衣服上傳過來的。他擦著臉，聞到這股氣味，不由得輕輕地罵著：

「你娘的，十五年了，這身衣裳，穿了還這麼熱！」

他穿的是一套灰底子上密密排著青色人字花紋的厚布對襟褂褲，好料子，是嫁大女兒時做的。嫁二女兒和台灣光復那年也穿過，今天是第四回。

「傻仔！」他望望對面樓上，厚厚的紫黑色的闊嘴又動了動，這回是在罵他的兒子。但隨著罵聲，他的老臉上卻泛起了笑容。「還不肯教我來呢，這麼要緊的事情！」

早晨起來後，他摸摸索索地爲兒子阿榮整理東西。阿榮很奇怪地問：

「怎麼還不去菜園？阿爸！」

他站在兒子面前傻笑著，不答話。呆一下，兒子才明白過來，說：

「你要陪我去嗎？不用了，我又不是嬰仔。」

他抓抓光頭，眉毛向上挑挑，很不在乎地說：

「菜園有什麼關係，反正晚了。」這在闊嘴仔阿伯的生活裡，是一件極不平常的事，居然有一天不去菜園，不去賣菜。他的兒子見父親這樣，也祇好說：

「愛去就一道去吧！」

他並不後悔站在這裡曬太陽，一進門阿榮就對他說了：「阿爸，就站在牆那邊，不要亂走動啊！免得我找不到你。」說完了，兒子就夾著書包走進對面那座樓房去了。他呢，便一直做出負有重要任務的姿態，站在牆這邊，讓火燙的太陽在他身上打滾。

他擦了汗，把毛巾往褲帶上一掖，兩手往身後一背，黑紫的臉讓太陽曬得直發亮。緊閉著厚嘴唇，腳底下輕輕地點打著，一下子看看那座樓，一下子左右擺動著看院子裡出出進進的人。他很想隨便攔住一個人，做出毫不在意的樣子，對人說：「今天是我兒子來考高等——高等學校。」然後，他再抬頭指指對面樓上說：「就在這上面。」祇要有人向他點點頭略示招呼之意，他一定會這麼說的。可是他站的地方太不重要了，沒有人理會到牆邊有個老頭兒。

他從來沒有直挺挺地站在同一塊地方這許久，他不習慣，但是又不敢挪步。他看見許多人，也是陪著兒女來考試的。都隨隨便便地走動著。好大的學校呀，兒子考上就會在這裡念書。這些出出進進的人，說著他聽不懂的有學問的話，看著牆上他看不懂的告示。他卻衹有站在牆邊，守著火燙的太陽。

他被曬得不能忍受了，再毒的太陽他不是沒遇見過，可是不能讓它在身上同一處地方曬得這麼久呀！他摸摸臉，好像摸著剛灌進開水的鐵壺。他想，在菜園子裡工作的時候，也都是大太陽，但是他可以變動姿勢，蹲下去，站起來，側過身，走動著，太陽就不至於像現在這樣，衹曬著他的前身了。他挪動了腳步，躲到一棵松樹旁，露出給太陽曬的衹有個大禿頂。他伸手到頭上抓了抓。

他想著一件什麼事，身子不由己地蹲了下去。他的蹲法很放肆，兩腿打開，大模大樣，毫不保留地深深地埋著屁股。屬於勞動者的姿勢，就像他們在休息，在飲茶，或在吃便當時的那個樣子。

他在想：他有自己的菜園，就像他有自己的兒子一樣，是實實在在的。那菜園眞是一塊好地，原來是種穀的，怎麼能不好呢！他買過來，種下十多樣蔬菜，才三個月的工夫，番茄就長得好高了，青色的番茄結成了串。這幾天大太陽，說不定番茄已經有了發紅的呢！現在人們都喜歡吃山東白，他也有這種野心，把前面那塊地再買過來。聽說枝仔要賣了那塊地，搬到山上去種茶。如果能買過來，他要全部種上山東大白菜。

打發兒子念書，也不是件容易事，首先他種菜就沒了幫手。兒子有時也來幫幫忙，可是他不要，「去念書，去念你的書！」他總是這麼把阿榮趕回屋裡去，寧願自己一擔又一擔地挑著尿肥澆菜，尿肥下了土，他的汗水也下了土。祇要看見兒子在窗口桌上咿咿唔唔地念書，在他就是滿足。誰叫他不識字呢！他在種菜，兒子在念書，這和他在念書，兒子在種菜，又有什麼分別！

就像那天吧，送稅單的人來了，一張三聯單他接過來，拿進去給阿榮看。阿榮看了看說：

「有兩張錢的數字寫得不一樣，不知哪一張對？」

於是他便又把三聯單拿出去給那人看，並且說：

「有兩張上的錢數寫得不一樣，不知哪一張對？」

那人接過三聯單，一面找，一面問：「哪裡？在哪裡？」

但是他也不知道那錢數寫在紙單上的什麼地方，祇好倚老賣老地說：

「少年人，自己看呀！」

少年人果然找到了，抱歉地說：「老阿伯，還是你的目力好，一下就看出錯誤來了。」

少年人錯認老阿伯是識字的，但老阿伯聽了一下子得意起來，將錯就錯，擺出一副嚴肅的面孔說：

「下回要小心啊！不要看老阿伯是六十一歲的老人嘍！再小的字也逃不過我的眼睛呀！」

說起錢數字，那倒是使他傷心的事。他每天挑著一擔菜到城內市上去，最怕兩種人：「警察」和「女人」。衹要有人喊一聲：「警察來了！」他們這群在路邊擔挑賣菜的，就得趕快扔下主顧，挑起擔子就跑，因爲他們犯了妨礙交通罪。這時，買菜的女人便會乘機不給錢，或是多抓一把菜。他們也顧不了那許多，最要緊的還是把牢那桿秤，不要讓警察拿走。沒了秤，買賣就不能做，而且一桿秤要好幾十塊呢！那年秋來的一天，他高高興興地挑了一擔新鮮芹菜上市去。半路上，有人買不少斤，擔子減輕了些，他走得更快。擔子在他肩頭上一顛一顛的，他的胳膊也隨著一扔一甩的。他一面顛著甩著，一面心中盤算：兒子要到獅頭山旅行，到底要不要答應？去一趟要花不少錢，他賣三天的菜也賺不回。到了菜市場的馬路邊，放下擔子來，他的手發熱發脹，秤菜的時候有些抖。他正三斤五斤秤得好順手，不防警察過來了，別人早已挑著擔子逃進小巷，衹有他被警察抓住了那杆秤。他十分卑賤地苦苦央求著。這時對面氣吭吭地殺出一個女人來，搶到他面前，用手指點著他：

「你這壞良心的老頭子，拿老台幣找給我，你壞良心……」

「沒有！沒有！」他簡直要起誓。

「喏！你看！」他又張開手裡捧的一堆鈔票，分辯說。鈔票堆裡竟也有幾張是老台幣，這是半路上買菜的人給他的，他不認識字，弄不清楚。警察本想放了他，現在看他在妨礙交通之下，似乎又犯了欺騙罪，怎肯放鬆？圍上一圈人，他在百十隻指責和恥笑的眼光之下，眞是欲辯無由，滿肚子委屈。他的手更抖了，鼻涕也流了出來。

那天他回到家裡，實在想哭。晚上阿榮放學回來，又提出昨天的要求，要隨著同學到獅頭山去旅行。他這回毫不猶豫地答應了，並且很痛快地從抽屜裡取錢給阿榮做旅費。他問阿榮要多少？然後把各種票子拿出來，問這是幾圓？那是幾角？並且問這裡面是不是摻著不能用的老台幣？他問得很詳細，但沒有把早晨的事透露半個字。可是最後竟不覺重重地歎了一口氣，對阿榮說：「你阿爸這輩子就壞在不識字！」阿榮不懂得阿爸這話的意思，祇奇怪地看了他一眼。

從那時候起，他就決心讓阿榮把書讀下去，他儘量地不要阿榮到菜園裡去，不要阿榮拔一根草，不要阿榮種一棵菜，全憑他自己，把阿榮熬到現在，到現在，又要考什麼高等——高中了。他不知道讀書要讀到什麼時候爲止，祇要阿榮喜歡讀下去，就隨他。鎮上張外科的兒子，三十多歲了，不是去年還飄洋過海去讀美國書嗎？

阿榮今年十六歲了，讀書知禮，到底不同。想想他自己的幼年吧，從七、八歲就騎在牛背上。那時怎麼就沒人出主意讓他念書呢！他很得意，倒是自己有見識，讓阿榮念書，沒讓他看牛去。就這麼幾年，阿榮已經念得很多了。

他夾七雜八地想著這些事，不禁感慨地搖搖頭，眼直鉤鉤地望著牆邊地上的一棵小草，他伸手過去，把小草揪起來，想著幼年在溪邊看顧了好幾年的那頭老牛吃草的樣子，竟不由得把小草送進了自己的嘴裡咬著。

一陣嘈雜的聲音把他從呆想中驚醒了，原來又一堂考試完了，院子裡已經東一堆，西一堆地聚集了許多人，祇有他孤零零地還在牆角邊。他趕快站起來，責備自己不知在這裡蹲了多久。他挪步離開矮松，回到原來他站的地方去，他怕阿榮找不到他。

他用眼睛努力地在一堆堆的人群中搜尋，終於發現了阿榮，他的闊嘴咧了咧。阿榮正和一群同學以及他們的父母高聲談論著什麼。他努力地聽，可是聽不懂，他知道無非是書本上的事情。

看別人的父母都在問長問短，他也很想走到他們的群中去，但是他知道自己決插不上嘴。然而，他的存在，他這樣重要的存在，以及他和阿榮的關係，人家也應該知道呀！阿榮是知道他仍站在這裡的，因爲他曾回過頭來向他這邊望了望，連讓他張嘴的工夫都沒來得及，就又轉過頭去和別人說話了。

他皺起眉尖歪著頭沉思著，有什麼好辦法可以走進他們中間，去表現一下「這是我的兒子」的願望呢？同時他也很想爲阿榮做點兒什麼，遞給他手巾擦擦汗啦！替他拉平衣服的領子啦！捏捏他的胳膊啦！甚至於摸摸他裝得硬梆梆的書包什麼的。

他歪著的頭，眼睛正好對著校門外，那裡停著一輛賣冰水的車子，大玻璃缸裡盛滿了泡著冰塊的橘子水。許多學生正圍在那兒，一杯杯地喝著。他忽然想起了什麼，立刻挺直了身子，揪揪衣服襟，把臉孔放平整，然後堅定地踏著大步子，走向人群去。

「榮仔，」他排開人群，挨近阿榮的身旁，眼睛對別人連看都不看一眼，蠻了不起的衝著他兒子一個人問：「要喝冰水嗎？」

四十五年十二月二十五日

國家圖書館出版品預行編目資料

綠藻與鹹蛋／林海音文

初版，——臺北市：遊目族文化出版；城邦文化發行，2000〔民89〕

面：　　公分——（林海音作品集）

ISBN 957-745-305-8（精裝）．ISBN 957-745-306-6（平裝）

857.63　　　　89003551

〈林海音作品集5〉

綠藻與鹹蛋

文／林海音
策劃／王開平
責任編輯／張玲玲、杜晴惠、張文玉
美術編輯／林意玲
封面設計／沈月蓮
出版者／遊目族文化事業有限公司
編輯所／台北市新生南路二段20號6樓
電話／(02)2351-7251
傳真／(02)2351-7244
發行／城邦文化事業股份有限公司
地址／台北市民生東路二段141號2樓
電話／(02)2500-0888　傳真／(02)2500-1938
讀者服務專線／(02)2500-7397　讀者訂閱傳真／(02)2500-1990
郵撥帳號／18966004　城邦文化事業股份有限公司
網址／www.cite.com.tw
香港發行所／城邦（香港）出版集團有限公司
地址／香港北角英皇道310號雲華大廈4字樓，504室
電話／852-25086231　傳真／852-25789337
E-Mail／citehk@hknet.com
馬新發行所／城邦（馬新）出版集團 Cite (M) Sdn. Bhd. (458372 U)
地址／11, Jalan 30D/146, Desa Tasik, Sungai Besi,
57000 Kuala Lumpur, Malaysia
電話／603-90563833　傳真／603-90562833
二〇〇〇年五月初版一刷　二〇〇四年六月七刷
ISBN／957-745-305-8（精裝）　957-745-306-6（平裝）
定價／三〇〇元（精裝）　二〇〇元（平裝）
感謝財團法人國家文化藝術基金會贊助出版

財團法人|國家文化藝術|基金會
National Culture and Arts Foundation